Edgar Destoits

Des mêmes auteurs, dans la même série :

L'étrange affaire du loup de la nuit
L'étrange affaire du crâne d'émeraude

Traduit de l'anglais par Jacqueline Odin

Titre original : *Barnaby Grimes*
Legion of the Dead
First published in Great Britain by Doubleday,
an imprint of Random House Children's Books
Text and illustrations copyright © Paul Stewart and Chris Riddell, 2008
The right of Paul Stewart and Chris Riddell to be identified
as the authors of this work has been asserted in accordance
with the Copyright, Designs and Patents Act 1988.
All rights reserved.

Pour l'édition française :
© 2009, Éditions Milan, 300 rue Léon-Joulin,
31101 Toulouse Cedex 9, France
Loi 49-956 du 16 juillet 1949 sur les publications destinées à la jeunesse
ISBN : 978-2-7459-2986-0
www.editionsmilan.com

PAUL STEWART & CHRIS RIDDELL

Edgar Destoits

L'ÉTRANGE AFFAIRE DES MORTS VIVANTS

MILAN

CHAPITRE 1

J'ai entendu des gens s'exclamer qu'ils préfére-
raient être morts – des lavandières épuisées tra-
vaillant de nuit dans des sous-sols humides, des
mendiants déguenillés près du palais de justice, d'élégantes demoiselles repoussées lors d'un bal de la haute
société... Mais s'ils avaient vu ce que j'ai vu par cette
froide nuit brumeuse, ils auraient compris la sottise
de leurs paroles.

C'est un spectacle qui me poursuivra jusqu'au jour
où je rendrai l'âme – après quoi, je l'espère de tout
mon cœur, je reposerai en paix.

On ne pouvait pas en dire autant des apparitions
épouvantables qui ont émergé des brumes tour-
noyantes et se sont approchées. Certaines vacillaient
sur leurs jambes, les bras ballants ; d'autres avaient
les mains tendues devant elles comme si leurs
doigts maigres, plus que leurs yeux enfoncés,

guidaient leurs pas chancelants dans le brouillard épais.

Il y avait une mégère ratatinée, au nez crochu et aux cheveux emmêlés. Une matrone corpulente, son front ridé toujours miroitant de fièvre... Un chiffonnier au regard sournois et un lutteur à mains nues, dont l'œil gauche sorti de son orbite pendait au bout d'un fil luisant. Un gros marchand des quatre saisons et un notaire voûté, leurs vêtements (en satin et en dentelle pour le second, en serge élimée pour le premier) pareillement tachés de boue noire et de fange des égouts. Une domestique, un ramoneur, deux garçons d'écurie, l'un le crâne défoncé par la ruade d'un cheval, l'autre le teint terreux et les yeux brillants à cause de la toux sanglante qui l'avait emporté. Et un robuste voyou de la rivière, son beau gilet en loques et le tatouage sur son menton masqué par la crasse. La profonde blessure à laquelle il avait succombé scintillait en travers de son cou.

J'ai reculé, horrifié, le dos plaqué contre le marbre blanc et froid du mausolée de la famille de Valogne. Près de moi, son corps tremblant comme du jambon en gelée, sir Alfred avait la respiration hachée, sifflante. Sur trois côtés du tombeau de marbre, les rangs serrés des spectres se déployaient dans le cimetière brumeux en une parodie grotesque de séance d'instruction militaire.

Chacun d'eux portait les marques de blessures fatales.

– Ils m'ont retrouvé, a soufflé le vieux médecin d'une voix rauque, presque chuchotante.

J'ai suivi son regard terrifié et découvert quatre personnages misérables en uniforme de soldat (une veste rouge aux épaulettes et aux poignets ornés d'un galon doré) qui se tenaient sur une tombe plate au-dessus de la foule. Chacun d'eux portait les marques de blessures fatales.

La terrible entaille dans le visage du premier avait laissé sa pommette exposée et un lambeau pendant de peau tannée. Le deuxième avait la poitrine ensanglantée et un moignon déchiqueté (seul reste de son bras gauche) ; des éclats d'os jaune pointaient entre ses bandages sales. Une hache rouillée, logée dans le crâne du troisième, fendait sa coiffure militaire cabossée. Et le quatrième, les yeux globuleux, injectés de sang, gardait autour de son cou meurtri, à vif, la corde râpeuse et usée qui l'avait étranglé ; il serrait le mât d'un drapeau dans ses mains noueuses.

Comme je l'observais, il a brandi le mât fendu. J'ai empoigné ma canne-épée et examiné le pan flottant de tissu ensanglanté : des franges souillées, collées, entouraient le brocart à pompons ; au centre se trouvait l'emblème brodé – l'ange de la victoire, ses larges ailes ouvertes sur un fond bleu ciel – rehaussé par les mots *33e régiment d'infanterie* en écriture script penchée, anguleuse. Les lèvres minces de l'affreux porte-drapeau se sont écartées pour révéler une rangée de dents noircies.

– Trente-troisième régiment de combat ! s'est-il écrié d'un filet de voix grinçante.

Les spectres ont oscillé sur place, leurs bras squelettiques étirés devant eux et leurs manches déchirées pendillant, molles, dans l'air brumeux. J'ai senti l'âcreté des égouts qui se dégageait d'eux, ainsi que la puanteur écœurante de la mort. Leurs yeux enfoncés m'ont transpercé.

Nous étions cernés. Ni sir Alfred ni moi ne pouvions faire quoi que ce soit. La voix du porte-drapeau a résonné, rauque, dans l'enclos funèbre :

– En avant !

CHAPITRE 2

Dans ma profession, j'ai rencontré un certain nombre d'âmes agitées sorties du tombeau. Il y a eu l'esprit frappeur de la signora Lavinia, qui terrorisait les invités en quête d'émotions fortes lors de ses réceptions. Puis le chaman iroquois du pasteur Tremblérable, qui appréciait le whisky bas de gamme et les bijoux coûteux. Et, bien sûr, la défunte Grâce Cornaline, reine du royaume des spectres, amie intime de trois empereurs romains et d'Alexandre le Grand – des apparitions extraordinaires, pour chacune d'entre elles...

Malheureusement, les manifestations de la signora Lavinia devaient plus aux cordes de piano qu'à un esprit frappeur et la robe d'ecclésiastique de Tremblérable dissimulait une lanterne magique et deux doigts poisseux. Quant au fantôme de Grâce Cornaline, c'était un simple mannequin enveloppé dans un drap, manipulé par un ventriloque de music-hall qui voulait se reconvertir. Je suis bien placé pour le savoir, puisque j'ai contribué à les démasquer. De banals imposteurs, tous autant qu'ils étaient, cherchant à escroquer les naïfs. Mais ce que j'ai vu au clair de lune dans ce cimetière n'était pas une illusion facile. Ni cordes, ni lanternes, ni médiocres procédés de théâtre n'avaient fait surgir la légion des morts.

La vérité était bien pire…

Tout a commencé par un froid matin d'automne, sous un ciel aussi bleu qu'un œuf de canard coureur indien. Je suis envoyé tic-tac de profession. Mon travail consiste à porter des paquets à travers la ville – tout et n'importe quoi, convocation poussiéreuse, document à signer, ou bien les caisses d'escargots africains géants que j'avais livrées la veille au très fermé Club Delétang pour sa course annuelle de mollusques. Efficace et rapide, je voltige au plus vite sur les toits de la ville car – tic-tac ! – le temps, c'est de l'argent. Certaines missions (l'arrivage d'escargots, par exemple) ont un caractère unique ; d'autres, en revanche, sont plus régulières : dans le cas présent, comme nous étions le deuxième mercredi du mois, j'avais rendez-vous avec Cornélius Lifrac, marbrier et entrepreneur de pompes funèbres.

J'étais en retard ce matin-là, il fallait donc que je me dépêche, mais sans tomber dans l'imprudence. En dépit du soleil radieux, des plaques de verglas persistaient aux endroits mal exposés, si bien que je risquais de me tordre la cheville ou de glisser. Sur la résidence du maire, une délicate « enjambordure » et un instant d'inattention faillirent me précipiter par-dessus un parapet effrité.

Néanmoins, par une matinée aussi splendide, où le soleil brillait, où une légère brise soufflait et où l'atmosphère était cristalline comme jamais, rien ne pouvait gâter ma bonne humeur. À condition de ne pas souffrir du vertige et d'avoir les nerfs solides, il n'y a pas plus exaltant que la voltige des sommets. Bondissant, roulant et filant sur les toitures – de pilier en pignon, de gouttière en gargouille –, un voltigeur expérimenté peut traverser la ville au pas de course, alors que des embouteillages bloquent les rues en contrebas.

Je suis allé bon train, et, à neuf heures moins cinq, j'atteignais l'imposant édifice en brique marron, avec ses fenêtres cintrées et ses pilastres cannelés en pierre blanche, qui abritait la marbrerie et entreprise de pompes funèbres Lifrac. À neuf heures sonnantes, j'étais sur le seuil du bureau de Cornélius Lifrac. J'ai frappé.

– Entrez, a dit une frêle voix d'asthmatique, et j'ai poussé la porte.

Cornélius Lifrac était assis au secrétaire devant moi, les mains ensevelies sous une montagne de papiers. Il a levé la tête d'un air fatigué, son front blafard contracté.

– Oh, Edgar.

Les lunettes à monture d'acier qu'il portait étaient si fortes que ses énormes yeux grossis semblaient s'être détachés pour se coller contre les verres. Des veines rouge vif striaient ses globes oculaires jaunis et brillants. Par contraste, dans la lumière tremblotante, son visage était aussi pâle que la bougie en cire qui l'éclairait et des cernes noirs prononcés le rendaient encore plus fantomatique.

Vu sa mine, le pauvre homme n'apercevait jamais le soleil. Malgré la splendeur de sa façade, l'intérieur de l'édifice en brique marron avait été transformé en un dédale de corridors sinueux et de bureaux minuscules. Celui de Cornélius Lifrac était à peine plus grand qu'un placard à balais. Il n'y avait pas même de fenêtre.

– Aussi rapide que d'habitude, a soufflé mon interlocuteur, me scrutant de derrière la bougie vacillante. Je vous offrirais volontiers un siège, a-t-il gloussé, mais...

C'était sa petite plaisanterie. La pièce minuscule possédait un gigantesque classeur verni et un secrétaire à cylindre derrière lequel il avait réussi à caser un fauteuil en cuir à haut dossier. L'espace restant était trop exigu pour contenir la moindre chaise, nous le savions tous les deux. J'ai souri.

– Une demande vient d'arriver, Edgar, m'a-t-il annoncé, ses énormes yeux braqués sur moi. C'est plutôt urgent.

Il a repoussé son fauteuil et s'est tourné vers le classeur dans son dos. Aussi haut que large, le meuble en chêne doré occupait la moitié de la pièce. Il comportait des dizaines de petits tiroirs à poignées en os. Cornélius Lifrac s'est immobilisé un instant et les a considérés, ses étroites épaules voûtées. Puis ses genoux ont craqué comme des brindilles cassées net alors qu'il s'accroupissait et ouvrait l'un des tiroirs.

– Voici, a-t-il dit, se retournant et posant sur le secrétaire une boîte grande comme une brique, d'où se sont échappés des cliquetis. Des anneaux.

– Des anneaux ?

– Pour une chaîne à doigt.

Il a fait un geste désinvolte.

– Ma meilleure chaîniste les attend : Adnette Gustain, 17 castel Adélaïde…

Le dernier cri de la mode funéraire, c'étaient les chaînes à doigt. Aucun riche défunt qui n'ait eu la sienne ! Une extrémité était reliée à l'index du cadavre, l'autre à une cloche : si quelqu'un avait la malchance de se réveiller dans son cercueil, il pouvait appeler au secours et être déterré.

– Castel Adélaïde, ai-je répété en fronçant les sourcils.

À ma connaissance, il y avait deux castels Adélaïde dans notre ville. L'un se trouvait au cœur des beaux quartiers, dans l'élégante allée du Galop ; l'autre…

– Quais de la Mitraille, a précisé Cornélius Lifrac, et le découragement m'a saisi.

Les quais de la Mitraille. C'était un endroit que j'évitais en général. Situés entre la rive droite, avec ses canardeaux fouilleurs et ses teignes tatouées, et le port de la Darsène où accostaient les navires, les quais de la Mitraille étaient encore plus malfamés. Les vastes entrepôts bordant ses rues pavées contenaient les cargaisons des pays lointains, stockées là en attendant leur expédition vers les usines, les fabriques et les ateliers de la ville. Cette abondance de marchandises et de matériaux attirait les voyous du port et les rançonneurs comme une couverture d'hospice attire la vermine.

– Le plus vite possible, Edgar, m'a pressé Cornélius Lifrac. Adnette a besoin de ces anneaux pour un client important là-bas.

Il m'a serré la main (contact froid et humide, l'impression de palper un poisson cru) et est retombé dans son fauteuil en cuir. Je me suis dirigé vers la porte tout en rangeant la lourde boîte dans la poche intérieure de mon manteau.

– Dites à Adnette que la chaîne doit être terminée demain. Les proches du client viendront la chercher à la première heure.

J'ai promis de le faire et quitté le bureau, un bruissement de papier s'élevant alors que Cornélius Lifrac replongeait dans son amas de factures, de commandes et de reçus. La porte s'est refermée derrière moi.

Je suis sorti du bâtiment par la première fenêtre que j'ai rencontrée dans le corridor du sixième étage labyrinthique, me suis avancé sur le rebord luisant et hissé jusqu'au toit le long d'une conduite en fonte sculptée.

Comme je me dirigeais vers les quais de la Mitraille, les toits des différents secteurs s'étendaient sous mes yeux : le Grand-Mont, le quartier des théâtres, le Nid de guêpes... J'ai voltigé, rapide, tout en remerciant ma bonne étoile : quelle joie de ne pas être cloîtré dans un placard à balais aveugle durant des heures et des heures !

Remarquez, même un bureau privé d'air avait son charme, comparé aux quais de la Mitraille. Au milieu des entrepôts, il fallait se tenir sur ses gardes. Les moindres passages, terre-pleins et carrefours étaient contrôlés par un rançonneur mesquin et son ramassis de teignes, qui cherchaient à prélever un pourcentage sur les marchandises que transportaient les chariots. La bande de la rue Lusca, la clique des Sacs de farine, les Filous des attelages, le gang du Suif... Il y en avait douze au total ; chacun exerçait son racket et défendait son petit territoire, ou « pavés privés », jusqu'à la mort.

Tandis que j'approchais de ma destination, l'atmosphère s'est voilée car une épaisse « purée de poissons » venue des docks remontait la rivière en direction des quais. Je me suis retrouvé noyé dans un tourbillon blanc qui empestait les algues saumâtres et la fumée de charbon. Il flottait là, masquant le soleil. Je me suis arrêté pour m'orienter.

Je cherchais la ruelle du Rabouilloir. Le castel Adélaïde, au numéro 17.

Le brouillard tournoyant rendait la tâche difficile, mais je ne voulais pas me perdre. La meilleure conduite à tenir sur les quais de la Mitraille, c'était d'arriver et de repartir aussi vite qu'un furet qui file entre les jambes d'un gros fermier. Une horloge a sonné au sommet d'un clocher lointain.

Onze heures, ai-je compté, soulagé.

Le matin, en général, un calme relatif régnait sur les quais : les voyous dormaient après leurs activités nocturnes. Je n'avais pourtant pas l'intention de prolonger ma visite au-delà du nécessaire...

J'ai reconnu sur ma droite une cheminée carrée qui perçait l'atmosphère dense. C'était mon point de repère.

Dans mes plus anciens souvenirs, la grande cheminée plantée au faîte du long toit ondulé des farines Bernard ornait déjà l'horizon des quais de la Mitraille. Au-dessous d'elle, un four chauffait en permanence, afin de maintenir au sec le stock de farine. Ma destination au nom prestigieux – le castel Adélaïde, un immeuble de cinq étages qui abritait un grand nombre d'ouvriers des entrepôts voisins – se trouvait à l'angle d'après.

Sans perdre de vue la cheminée aux contours flous, je me suis prudemment avancé sur le toit pentu d'un commerce de bois dont les tuiles fêlées glissaient sous mes pieds, menaçant de me précipiter parmi les rondins empilés dans la cour. À l'extrémité, j'ai suivi un muret aussi vite que je l'osais avant de me lancer dans un « crampon couru ».

Cette manœuvre-là n'est pas pour les débutants. On se sert du crampon couru quand l'édifice à atteindre est plus haut que celui duquel on part. Le voltigeur doit bondir à la verticale tout en pédalant, puis se cramponner au parapet et, sans cesser de pédaler, escalader le mur en « courant ».

Arrivé au sommet du grand entrepôt aveugle, je me suis arrêté pour souffler, puis j'ai progressé avec précaution sur une corniche plus étroite jusqu'à un contrefort arrondi. Je me suis arrêté de nouveau et j'ai regardé au-dessous de moi. Le prochain bâtiment sur ma droite était l'immeuble recherché. Il semblait mal entretenu : la moitié des fenêtres étaient condamnées, les escaliers de secours rouillés s'écartaient des murs et des touffes de buddleias flétris poussaient entre les briques effritées. Je me suis demandé si Cornélius Lifrac ne s'était pas trompé dans l'adresse.

Il n'y avait qu'une façon de le savoir.

J'ai reculé pour me préparer à une délicate « roussette ». Douze pas de course étaient l'idéal. Je ne pouvais en faire que trois. Prenant mon élan du mieux que j'ai pu, j'ai sauté, les bras tendus et les coins de mon manteau serrés entre mes doigts, et j'ai décrit une trajectoire au-dessus du vide. Quelques secondes plus tard, mes pieds ont touché un rebord en surplomb, large de huit centimètres à peine, et j'ai retrouvé mon équilibre.

J'ai épousseté mes vêtements. Je devais faire vite. Plus tôt je déposerais mon paquet et quitterais les quais, mieux cela vaudrait.

Il y avait une porte au milieu du toit en terrasse. Elle était fermée à clé, mais quand je l'ai secouée, la poignée m'est restée dans la main. Je suis entré ; la pestilence, mélange de saleté ancienne et d'oignons aigres, m'a soulevé le cœur. Tandis que je descendais les marches jonchées de détritus, je me suis dit que quelque chose n'était pas normal.

En principe, un tel immeuble aurait dû regorger de locataires. Or le castel Adélaïde était désert et, excepté l'écho de mes pas dans la cage d'escalier, il régnait un silence de mort. À chaque palier, les portes des logements bâillaient ou ne reposaient plus sur leurs gonds, et les déchets des vies familiales abandonnées s'offraient aux regards. C'est seulement au deuxième étage que j'ai trouvé ma première porte fermée.

Numéro 17.

J'ai collé mon oreille contre le panneau en bois fendillé : de petits coups venaient des profondeurs de l'appartement. J'ai frappé. Les petits coups ont cessé, des pas lourds se sont approchés. Un instant plus tard, le battant a pivoté : devant moi s'est dressée une montagne de femme, vêtue d'une robe à fleurs informe. Vieille, la figure rouge, les mollets comme des troncs d'arbres et les avant-bras comme des jambons épais, elle a fixé sur moi des yeux en boules de loto tandis que ses doigts repoussaient ses cheveux gris et rêches.

– Adnette Gustain ? ai-je demandé, plongeant la main dans ma poche.

La femme a croisé les bras.

– En personne, a-t-elle répondu, découvrant une rangée de grosses dents jaunes. Et vous êtes ?...

– Edgar Destoits, me suis-je présenté. Tenez, c'est pour vous.

– Oh, merci mille fois ! s'est-elle écriée à la vue du petit paquet.

Un sourire s'est épanoui sur son visage et ses yeux en boules de loto ont pétillé alors qu'elle le saisissait. Elle l'a secoué ; le contenu a tinté. Puis, dénouant la ficelle qui l'entourait, elle a retiré le couvercle et glissé un regard à l'intérieur.

– Voilà qui paraît bien, a-t-elle commenté, pensive, en agitant la boîte. Assez pour trois mètres, avec quelques anneaux de reste...

J'ai scruté le dedans de la boîte. Elle était pleine de petits ovales en cuivre attendant le léger coup de marteau et la pression de pince qui les réuniraient. Il y avait en outre, au milieu des anneaux, deux cercles métalliques plus larges.

– Monsieur Lifrac vous fait dire que la chaîne doit être terminée demain, ai-je précisé, me rappelant ses paroles. Les proches du client viendront la chercher à la première heure.

– Je n'en doute pas, cher jeune homme, a répondu Adnette Gustain en replaçant le couvercle. Je n'en doute pas. Ces jours-ci, personne ne veut être enterré sans une chaîne à doigt, pas vrai ?

J'ai hoché la tête.

– Et ils savent où me trouver. Au fond, je suis la seule qui soit demeurée dans le castel depuis le début des apparitions...

– Des apparitions ? ai-je répété, intrigué.

– Des morts vivants, à ce que certains racontent, là-bas dans le cimetière près du puisard de la Mitraille, m'a-t-elle expliqué, les yeux étincelants. Qui errent dans le brouillard de la rivière au crépuscule et qui épouvantent les gens.

Elle a secoué la tête et ses cheveux rêches ont tremblé.

– Mais avec ma profession, je suis habituée à la mort, et il faudra davantage qu'une poignée de spectres en veste rouge pour chasser Adnette Gustain du castel, qu'on ne s'y trompe pas.

Elle m'a lancé un éblouissant sourire jaune.

– Bref, peu importe, a-t-elle tranché. Voudriez-vous une tasse de thé ? J'ai un excellent Assam fumé, tout juste sorti des cales d'un clipper arrivé la semaine dernière.

Elle a reculé puis, d'un geste, m'a invité à entrer. J'ai suivi des yeux l'étroit corridor menant au salon. Malgré l'heure – bientôt midi –, une lampe était allumée, dont l'éclat doré se répandait sur une table encombrée par les outils de cette étrange profession : marteaux, pinces, fer à souder ainsi qu'une petite enclume.

– C'est très aimable à vous, ai-je répondu, mais il faut que j'y aille. J'ai beaucoup à faire, ai-je ajouté d'un ton enjoué, et vous savez ce qu'on dit : tic-tac, le temps, c'est de l'argent.

– Dans ce cas, monsieur Destoits, je ne vous retiendrai pas.

Elle a fait tinter la boîte dans sa main et m'a souri.

– Quand vous le verrez, tranquillisez monsieur Lifrac. Adnette Gustain ne lui fera pas faux bond !

J'ai incliné mon chapeau et je lui ai souhaité une bonne journée.

– Au revoir, Edgar, a dit Adnette Gustain, retournant chez elle. Et prenez garde, là-bas sur les pavés.

– Oh, je n'y manquerai pas, lui ai-je assuré en partant, même si je ne comptais nullement mettre les pieds sur les pavés des quais de la Mitraille.

Au palier du quatrième étage, j'ai dérangé un chat roux galeux qui a miaulé avec indignation et filé devant moi, des amas de poussière flottant sur son passage dans la lumière.

De retour sur le toit, j'ai constaté que le brouillard s'était dissipé. Je n'ai pas tardé à laisser derrière moi l'immeuble mal entretenu et j'adoptais tout juste mon rythme de voltige d'une cheminée à l'autre lorsque j'ai entendu des cris furieux quelque part en contrebas. M'arrêtant un instant, j'ai regardé par-dessus le bord du toit et aperçu trois grands voyous qui formaient un triangle sur les pavés. Ils dominaient un quatrième personnage recroquevillé au centre.

– Ce sont nos pavés privés et tu es dessus sans permission, a grondé l'un des truands, collant sa figure de brute au visage apeuré de la victime.

– Je crois qu'on a pris un rat, Bob, a dit le deuxième d'un ton hargneux.

– Et tu sais comment on traite les rats, je suppose ! a enchaîné le troisième.

Une lame a brillé alors qu'il tirait un couteau de sa ceinture.

Ses camarades l'ont imité.

Mon cœur s'est serré. Malgré la distance, il me semblait, à leurs vestes aux manches frangées, que ces malfaiteurs étaient des Preneurs de rats. Si je ne faisais pas erreur, le pauvre nigaud qu'ils avaient coincé n'avait pas la moindre chance.

À ce moment précis, ledit nigaud s'est retourné face au troisième de ses bourreaux crapuleux. Il était plus déguenillé que dans mon souvenir et avait les cheveux bien plus courts, mais je l'ai reconnu immédiatement.

Il s'appelait Florian Pastor.

Il était, comme moi, envoyé tic-tac. Néanmoins, la ressemblance s'arrêtait là. J'étais un voltigeur des sommets ; lui, un rampant collé aux pavés qui ne respirait jamais l'air des cimes. Mais il avait du caractère, de l'ambition, et il voulait monter sur les toits. Il m'avait plu et je m'étais engagé à lui donner quelques leçons de voltige dès que j'en aurais le loisir. Cette promesse datait de plusieurs mois et je ne l'avais toujours pas respectée. Si j'avais tenu parole, ai-je pensé, peut-être que Florian n'aurait pas été dans la situation où je le voyais à présent.

– Allez, trucide-le, Bob ! a grondé l'un des voyous.

Sans hésiter une seconde, j'ai franchi la gouttière pour effectuer une rapide « tuyautine » (en espérant que la canalisation n'allait pas se détacher du mur) et mes semelles ont claqué sur le sol à quelques pas des trois truands et de leur malheureuse victime. Les Preneurs de rats ont fait volte-face, leurs armes levées.

J'ai dégainé mon épée.

Ils m'ont attaqué sur-le-champ. D'une botte, j'ai arraché le poignard de la main du premier ; l'arme a fini sur le trottoir d'en face. Puis j'ai paré un coup du deuxième, avant de pivoter sur mes talons et de l'acculer au mur, la pointe de ma lame contre la base de sa gorge.

Derrière moi, le plus robuste des gangsters a hurlé, furieux :

Ils m'ont attaqué sur-le-champ.

– Lâche-le !

Je me suis retourné vers lui : le perfide avait saisi Florian par le col et menaçait de sa propre lame le cou du garçon.

Alors, je me suis aperçu que je ne reconnaissais pas seulement Florian Pastor. Le voyou devant moi n'était autre que Cogneur Colonec, rançonneur et chef des Preneurs de rats.

Nos chemins s'étaient croisés un an plus tôt. Je l'avais aidé à se sortir d'affaire sans le vouloir un jour où je livrais des épices dans les cuisines de l'amiral Mac-Mahon : perturbés par leur arôme âcre, les chiens de la police portuaire avaient perdu sa trace et Cogneur avait pu s'échapper par les toits. À l'époque, il m'avait dit qu'il m'en devait une belle. Le moment était venu de lui rappeler sa dette.

– Cogneur Colonec, ai-je dit.

Je l'ai vu froncer les sourcils tandis qu'il maintenait son couteau contre la gorge de Florian. Ses deux sbires m'ont regardé, perplexes. Tous trois portaient la tenue distinctive des Preneurs de rats : pantalon noir, casquette à visière rigide et vestes courtes taillées dans un patchwork de peaux de rats, aux manches frangées de queues tannées.

– On se connaît ? a-t-il demandé, sa voix bourrue montrant qu'il en doutait fort.

– La livraison de curry madras rouge, ai-je répondu. L'année dernière, le toit de l'amirauté. Une meute de mastiffs pris d'éternuements au milieu de la cour et vous sur le toit avec un sac plein d'argenterie. Vous vous souvenez ?

Cogneur a plissé le front.

– L'année dernière ? a-t-il dit, les queues de rats sur sa veste oscillant tandis qu'il se grattait l'oreille.

Le vieux Cogneur était dur à la comprenette. Trop de coups sur la tête lors des rixes à poings nus où il avait acquis son surnom. Mais, peu à peu, la mémoire lui est revenue.

– Tu ne serais pas l'envoyé tic-tac…?

Un lent sourire s'est formé sur son visage.

– Qui m'a aidé le long de la gouttière… Édouard, c'est bien ça ?

– Edgar, ai-je rectifié.

– Edgar ! s'est-il écrié, faisant passer son couteau de droite à gauche pour me tendre une main énorme. Edgar Destoits ! Oh, je t'en dois une belle !

Rengainant mon épée, je me suis tourné et j'ai saisi la main – mon sourire s'est figé quand mes articulations ont craqué. Du menton, j'ai désigné Florian, qui était toujours à portée du couteau.

– C'est un ami, ai-je ajouté, retirant ma main et la mettant à l'abri dans ma poche. Florian Pastor.

– Un ami, dis-tu ? a lancé Cogneur.

Il a dévisagé Florian, qui me fixait tel un chien de manchon venant de retrouver son maître. Brusquement, Cogneur l'a lâché et a rangé sa lame. Les jambes vacillantes, le jeune garçon s'est placé près de moi. Les deux autres ont fait un pas menaçant dans notre direction.

– C'est bon, Bob, Max, leur a dit Cogneur. Laissez-les tranquilles.

Il m'a considéré, puis a considéré Florian ; ensuite, avec un grand geste, il a plongé la main dans son gilet en peau de rat, en a sorti une montre de gousset au bout d'une chaîne. Il a soulevé le couvercle en argent repoussé et observé les aiguilles.

– Il est midi dix, a-t-il déclaré en regardant ses camarades. La trêve a commencé.

– La trêve ? me suis-je étonné.

Il s'est tourné vers moi.

– Tu n'es pas au courant ? Une trêve de quarante-huit heures a été conclue entre tous les gangs. En signe de respect.

J'ai jeté un coup d'œil à la ronde et je me suis avisé que, même compte tenu de l'heure, un calme inhabituel régnait.

– L'empereur sera enterré demain, a expliqué Cogneur d'un ton sinistre. Les douze gangs avaient une grande réunion hier soir et j'ai été élu nouvel empereur des quais de la Mitraille. C'est à moi d'offrir les funérailles qu'il mérite au vieux Barbefauve, avec tout le faste nécessaire.

Barbefauve Rodric (l'empereur des quais de la Mitraille, comme on l'appelait en général) était le plus puissant des rançonneurs. Pendant des années, la bande de l'empereur, les Gars du puisard, avait exercé la plus vaste opération de racket du quartier, prélevant un pourcentage sur tous les principaux commerces des quais – et malheur à celui qui ne crachait pas l'argent. Un mètre quatre-vingt-quinze, une barbe rouge feu, Barbefauve Rodric impressionnait, même parmi les gangs endurcis des quais.

Sa mort prématurée avait semé la confusion dans leurs rangs, car tous les chefs rivalisaient pour être le nouvel empereur. Cogneur Colonec des Preneurs de rats était sorti vainqueur, semblait-il. Les dirigeants des autres gangs – Bart Zirtec de la clique des Sacs de farine ou Léo Estocade, le successeur de Rodric à la tête des Gars du puisard, par exemple – ne s'en réjouissaient sûrement pas. Le vieux Cogneur allait devoir s'attirer leur considération, et une cérémonie réussie en l'honneur de Barbefauve serait un bon début.

– Sale accident, disait Cogneur, ses lèvres fines crispées. Une cargaison de pièces d'artifice et un cigare mal éteint…

Il a secoué la tête d'un air sombre.

– À moitié brûlé quand ils l'ont repêché. Il n'était pas beau à voir.

Cogneur Colonec a plissé les yeux.

– Je suppose que tu viendras lui rendre hommage, Edgar Destoits, a-t-il déclaré, et à son regard d'acier, j'ai su que je n'avais pas le choix. L'enterrement aura lieu au cimetière Adélaïde, là-bas près du puisard...

Comme il prononçait ce nom, j'ai vu ses deux sbires tressaillir avant d'échanger un regard. Le dénommé Bob a toussoté. Furieux, Cogneur s'en est pris à lui et l'a frappé au visage du revers de la main, sa manche frangée de queues de rats lui giflant la joue.

– Si j'entends encore un mot sur des fantômes, des spectres ou des goules en veste rouge, tu y as droit. Compris ? Trêve ou pas !

– Je n'ai rien dit, a marmonné Bob, suivant d'un doigt précautionneux les zébrures sur son visage, lignes sanglantes aux endroits où les queues de rats l'avaient cinglé.

– Pas la peine, a rétorqué Cogneur. Prends garde à te taire, voilà tout, a-t-il conclu en brandissant l'index.

Il s'est tourné vers moi et a continué comme si rien ne s'était passé.

– Maintenant que me voici nouveau seigneur des gangs, je dois veiller au bon déroulement des funérailles. Tous les rançonneurs et leurs bandes seront là, ainsi que les sympathisants...

Son visage s'est tordu pour esquisser un mince sourire empli de menace et dénué d'humour.

– Comme toi, Edgar, et ton ami ici présent.

– Vous pouvez compter sur moi, ai-je répondu.

– Bien.

Il a hoché la tête, sévère, puis s'est adressé à ses camarades.

– Venez, les gars, nous avons encore ce petit problème à régler avec les Sacripants de la ruelle des Fers...

Sur ces mots, tous trois s'en sont allés. Florian et moi les avons regardés s'éloigner – le large Cogneur Colonec au milieu, flanqué de ses deux acolytes, le trio oscillant de gauche à droite à l'unisson.

Florian Pastor s'est tourné vers moi.

– Oh, monsieur Destoits, m'a-t-il dit, merci, merci ! J'étais chargé de porter une autorisation douanière quand...

– Appelle-moi Edgar, lui ai-je demandé. Une autorisation douanière ! C'est une tâche pour dix policiers du port, pas pour un envoyé tic-tac solitaire.

– Le brigadier du bureau a pourtant dit que ce serait facile... a commencé Florian.

– Oui, écoute, il vaudrait mieux choisir tes futures missions avec plus de soin, Florian. Mais le principal, c'est que tu sois indemne.

Je lui ai posé la main sur l'épaule.

– Partons d'ici.

– Et en vitesse, a renchéri Florian, pivotant sur ses talons et se dirigeant vers le tuyau que j'avais dévalé.

– Hé, où vas-tu ? lui ai-je lancé.

Il s'est arrêté net.

– Je croyais...

Il a froncé les sourcils.

– Vous étiez sérieux quand vous m'avez dit que vous m'enseigneriez la voltige, non ?

J'ai éclaté de rire. Ce gamin débordait d'enthousiasme !

– Bien sûr, Florian, ai-je répliqué, mais ne mettons pas la charrue avant les bœufs, d'accord ? En outre, il va falloir repousser encore un peu cette leçon, ai-je ajouté. Toi et moi devons nous rendre à un enterrement.

– L'équilibre, Florian. Tout dépend de l'équilibre, lui ai-je rappelé le lendemain.

Je me tenais sur un toit plat tandis que le jeune garçon, les jambes tremblantes, le visage pâle et crispé, demeurait en arrière, figé sur un piédestal en surplomb.

– Détends-toi et penche-toi pour le saut, ai-je dit. Oublie la hauteur. Concentre-toi sur la réception…

Il m'a regardé depuis son perchoir et a hoché la tête d'un air grave, ses joues se sont contractées alors qu'il serrait les dents. Il a redressé les épaules et levé les bras. Le soleil bas projetait dans son dos une ombre allongée en forme de croix.

– Oui, c'est bien, l'ai-je encouragé.

En temps normal, voltiger jusqu'aux quais de la Mitraille m'aurait pris une heure et demie au maximum. J'en avais prévu le double pour guider

Florian sur les toits, selon un itinéraire sinueux qui nous épargnerait toutes les figures trop délicates.

S'il n'était pas un voltigeur né, Florian Pastor apprenait vite : il maîtrisait déjà le « pas de quatre sous » et le « caracol », et se révélait très doué pour le « saute-cheminée ». À présent, néanmoins, au bord d'un socle en surplomb à vingt mètres au-dessus de la rue fourmillante, il avait perdu son sang-froid.

– Bon, ai-je repris. Tu sais ce qu'il faut faire. Prendre l'impulsion. Garder les bras écartés. Ensuite, à la réception, rouler en avant…

– Plutôt que de basculer en arrière, a murmuré Florian, passant une main sur son crâne rasé.

Il a gonflé ses poumons et pris appui sur son pied gauche. Puis, avec un air de concentration résolue, il s'est écarté du mur et jeté dans le vide. Alors qu'il se précipitait vers moi, j'ai fait un pas de côté et je me suis préparé à le rattraper s'il trébuchait. Un instant plus tard, il est arrivé comme un albatros sur un iceberg et a roulé de biais avec fracas avant de heurter le parapet au bout du toit plat.

– Cette galipiote n'était pas un chef-d'œuvre d'élégance, ai-je commenté en l'aidant à se relever et en l'époussetant, mais je crois que tu es sur la bonne voie.

– Vous le croyez vraiment ? a demandé Florian, redevenu enthousiaste après son accès de nervosité. Puis-je faire un nouvel essai ?

– Contente-toi de me suivre, lui ai-je dit. Nous allons marcher sur les lignes de faîte pendant le reste du trajet.

Nous avons continué : je montrais le chemin et Florian calquait derrière moi chacun de mes mouvements. Le soleil radieux projetait des ombres denses qui soulignaient les moindres brique, arête, étai et fronton ; quant à la brise très légère de cette matinée, elle ne faisait pas craindre les dangereux tourbillons et courants qui balayaient si souvent les toits et emportaient les intrépides osant s'y risquer. En un mot, c'était une journée idéale pour la voltige des sommets – et pour un enterrement.

Des accords de musique (une cornemuse, une trompette et un tambour) nous ont indiqué que nous approchions de notre destination. Et en effet, au bout du long toit pentu d'un immeuble, nous avons tous les deux découvert une petite place en contrebas – la cour de l'Ange – où s'entassait une immense foule agitée. Les gangs des quais de la Mitraille se rassemblaient en petits groupes chuchotants. Vus d'en haut, les uniformes de bric et de broc que portaient les diverses bandes composaient une mosaïque colorée sans cesse changeante.

– Nous sommes à l'heure, ai-je dit. Heureusement.

– Comment allons-nous descendre ? a demandé Florian avec entrain. Par une tuyautine ? Ou grâce à un bond de saumon ?

J'ai souri.

– Autant arriver entiers, ai-je répondu, et j'ai désigné les zigzags d'un escalier métallique peint en rouge brique, boulonné à l'arrière du bâtiment. Nous allons prendre le chemin le plus facile.

– Très bien, a soufflé Florian d'une voix où se mêlaient la déception et le soulagement.

Il s'est glissé, agile, sur la plate-forme supérieure et, saisissant la rampe rouillée, a descendu les marches avec bruit. Je lui ai emboîté le pas. Le soleil brillait sur son crâne.

– Tu as fait fort, dis donc, ai-je plaisanté.

Florian s'est retourné.

– Avec cette galipiote ? a-t-il demandé.

– Non, je parlais de ta coupe !

Il m'a lancé un grand sourire tandis que sa main droite se précipitait vers sa tête.

– Hum, je n'ai pas eu le choix, a-t-il précisé en grimaçant. J'ai vendu mes cheveux à un fabricant de perruques la semaine dernière pour compléter le loyer de ma chambrette dans le Nid de guêpes.

– Les temps sont-ils durs à ce point ?

– Oui. Je suis un rampant collé aux pavés, pas un voltigeur des sommets comme vous, a-t-il expliqué. Je ne peux pas exiger vos tarifs.

– Eh bien, il va falloir y remédier, ai-je déclaré. Dans l'immédiat, finissons-en avec ça.

Sur la dernière plate-forme, au lieu de dévaler l'ultime volée de marches, j'ai empoigné une traverse et j'ai bondi en souplesse jusqu'aux pavés. Un instant plus tard, Florian est arrivé à côté de moi.

– Hé, à quoi vous jouez ? a demandé une grosse voix par-dessus la musique funèbre avec la cornemuse bourdonnante et le tambour au son mat.

Me retournant, je me suis trouvé face à une demi-douzaine de voyous. Leur chef, un robuste bagarreur à la chevelure épaisse plaquée en arrière, coiffé d'un borsalino à large bord, s'est avancé. Il y avait des traînées de farine sur son visage sévère et ses bras musculeux tatoués, qu'il a croisés pendant qu'il nous observait de la tête aux pieds, Florian et moi. Comme ses camarades, il portait par-dessus sa chemise une blouse flottante sans manches, faite de poches de farine et décorée de crânes enduits de goudron. Il devait s'agir, ai-je compris, de la clique des Sacs de farine.

– Nous venons rendre hommage à l'empereur, ai-je dit simplement tandis que je retirais mon chapeau claque et l'aplatissais.

– Et qui êtes-vous donc ? a-t-il rétorqué, me collant sous le nez sa sinistre figure informe.

– Il est avec moi, est intervenu Cogneur Colonec, bousculant la foule et entourant de son bras lourd mes épaules et celles de Florian. Venez, les gars. Aujourd'hui, vous êtes des Preneurs de rats honoraires. Vous défilerez avec nous.

Laissant le chef de la clique des Sacs de farine nous suivre des yeux, abasourdi, Cogneur nous a conduits sur la place. La musique a enflé. J'ai regardé les instrumentistes de plus près.

Les joueurs de tambour et de cornemuse étaient tous deux corpulents, les boutons dorés de leurs vestes en tartan prêts à sauter. Le trompettiste, lui, se distinguait par sa maigreur et par une longue cicatrice qui s'étendait du coin de sa bouche à l'arrière de son oreille gauche et donnait l'impression qu'il souriait de travers, malgré ses lèvres pincées. Le dernier membre du quatuor était un violoncelliste à revers, qui jouait du grand instrument attaché dans son dos en étirant ses bras minces et adroits : une main derrière le cou, l'autre poussant et tirant l'archet au creux de ses reins.

Tous quatre portaient des shakos écossais emplumés et des kilts noirs ; de leurs grosses bottes, ils marquaient le rythme des graves et majestueux chants funèbres qu'ils interprétaient. Ces musiciens étaient des professionnels des enterrements, experts dans l'art d'accompagner les cérémonies avec la solennité requise.

J'ai reconnu parmi les airs une vieille chanson de music-hall sur une entraîneuse nommée Rosa Myrte, très ralentie dans son tempo mais intacte dans sa mélodie. Ce devait être l'une des préférées de l'empereur, ai-je songé, et j'allais partager mes pensées avec Florian lorsqu'un corbillard noir s'est arrêté.

Mon petit élève semblait impressionné ; je voyais pourquoi. Couverte d'un océan de chrysanthèmes orange, jaunes et mauves, la voiture noire et or était tirée par une paire d'étalons noirs comme du jais, une gerbe de plumes d'autruche fixée sur la tête. À l'arrière trônait le cercueil le plus magnifique que j'avais jamais vu : il était en chêne parfaitement ciré, avec des poignées en or massif, et couronné par d'énormes bouquets de roses et de lis dont les pétales frémissaient tandis que les chevaux piaffaient sur place. Le jeune cocher (son costume noir deux fois trop grand pour sa frêle silhouette) avait repoussé son haut-de-forme et regardait très attentivement Cogneur Colonec, guettant le signal pour secouer les rênes et se mettre en route.

– Ils font les choses en grande pompe, ici sur les quais, ai-je murmuré à Florian.

Celui-ci a froncé les sourcils.

– Mais où est sa famille ? a-t-il demandé. Sa femme ? Ses enfants ?

– Autant que je sache, sa famille, c'était eux, lui ai-je expliqué avec un grand geste du bras.

Chacun des douze gangs du quartier était présent : les Preneurs de rats, la clique des Sacs de farine, la bande de la rue Lusca, les Filous des attelages, le gang du Suif, les Noirs de fumée, les Harceleurs, les

Chacun des douze gangs du quartier était présent.

Loustics de la menuiserie, les Gaillards des tonneaux, les Sacripants de la ruelle des Fers, les Ricaneurs aux dents longues, sans oublier les redoutables Gars du puisard. Tous avaient reçu l'ordre strict de se conduire au mieux et l'atmosphère était aussi crispée qu'un sourire de duchesse. Aucun chef de gang ne voulait subir d'affront ou d'insolence ; personne ne voulait perdre la face. Le service d'ordre à brassard noir circulait parmi la foule et lui faisait former les rangs à respecter lorsque le cortège quitterait la cour de l'Ange et, par les rues étroites du quartier de la Mitraille, se dirigerait vers le cimetière Adélaïde.

Alors que, les musiciens en tête, le corbillard juste derrière, entouré par les Gars du puisard dans leurs très longs manteaux en peau d'ours et leurs canotiers, nous allions enfin nous ébranler, des éclats de voix ont retenti dans notre dos. Je me suis retourné. Deux membres assez âgés du service d'ordre, qui appartenaient au modeste gang des Harceleurs, essayaient d'apaiser la situation mais ni le chef des Filous des attelages, dans son pardessus de cuir à boucles en laiton, ni son gros homologue des Gaillards des tonneaux – les fils d'or de son gilet brodé scintillant au soleil – ne l'entendaient de cette oreille.

– Quelle incongruité ! grondait le chef des Filous des attelages. Nous sommes le troisième gang des quais et on nous relègue en queue de cortège...

– Des poneys de parade, tous autant que vous êtes, a répliqué le chef des Gaillards des tonneaux, ponctuant chaque mot d'une pression de l'index. Les Gaillards des tonneaux rançonnaient les chariots de bière quand vous tachiez encore vos culottes courtes.

– Une seconde, a dit Cogneur en tapotant l'épaule du joueur de tambour.

Celui-ci a hoché la tête sans cesser de frapper le gros instrument noué autour de ses épaules, qui pendait à la verticale sur sa poitrine. Remontant le cortège d'un pas tranquille, sa silhouette massive ouvrant un chemin dans les rangs des voyous, Cogneur s'est approché des deux chefs de gang furieux. Il avait le sourire aux lèvres, mais j'ai remarqué la lueur mauvaise dans son regard tandis qu'il se penchait vers eux.

– Pas maintenant, les gars, a-t-il murmuré. Pas maintenant. Avez-vous oublié la trêve ?

Son sourire s'est élargi alors même qu'il plissait les yeux.

– Je vous demande d'être aimables les uns envers les autres.

Il a levé ses deux mains énormes et les a posées sur la nuque de chacun des chefs. Puis, avec un grognement d'effort, et sans perdre son sourire sinistre, il a cogné les deux têtes l'une contre l'autre. Un craquement a retenti ; poussant une plainte étouffée, les chefs de gang se sont écroulés à terre.

– Et d'avoir une attitude respectueuse ! a conclu Cogneur avec hargne.

Il a regagné l'avant du cortège, où le tambour ne résonnait plus. Cogneur Colonec et les cinq autres Preneurs de rats choisis pour porter le cercueil se sont placés d'un côté de la voiture, tandis que six énormes Gars du puisard se plaçaient de l'autre. Deux jeunes garçons décharnés envoyés par l'entreprise de pompes funèbres Lifrac, leur figure pâle empreinte d'une gravité de circonstance, se tenaient près d'eux. Nous venions ensuite, avec les différents gangs des quais de la Mitraille, en rangs précis. Le violoncelliste, le trompettiste et le cornemuseur ont cessé de jouer. Le tambour a levé les bras, les boules en feutre crème de ses baguettes ont tremblé un instant dans l'air, puis...

Boum !

Il a frappé de nouveau les deux faces de la caisse : toute l'assemblée s'est figée à ce coup puissant. La trompette et la cornemuse ont entamé un nouveau morceau, le cocher a fait claquer son fouet et l'ensemble du lugubre convoi s'est ébranlé. Comme nous défilions dans les rues sombres, des fenêtres se sont ouvertes un peu partout ; des enfants maigres et des mères de famille aux cheveux gris s'y sont penchés, la tête courbée en signe de respect. Une multitude de gens jaillissaient des maisons, les bras chargés de fleurs qu'ils jetaient au passage du corbillard – des œillets, des glaïeuls, des guirlandes d'asters...

Cogneur s'est tourné vers moi au moment où nous atteignions la promenade des Belvédères, la plus large avenue du quartier de la Mitraille. Une foule plus compacte que jamais nous saluait. Le corbillard, à moitié déjà caché sous une montagne de fleurs, cliquetait sur le tapis de pétales jonchant la chaussée.

– Il y a une foule considérable, m'a-t-il dit, des larmes d'émotion dans les yeux.

– C'était un homme très respecté, ai-je répondu, choisissant mes mots avec soin.

Cogneur a hoché la tête avec satisfaction et s'est détourné.

À son extrémité, l'avenue bifurquait. La voie de gauche menait aux étendues boueuses et aux jetées ; celle de droite conduisait à la Darsène. Au milieu se trouvaient le cimetière Adélaïde et ses ifs noueux vert sombre piquetés d'éclatantes baies rouge sang. Des grilles noires en fonte l'isolaient des rues adjacentes. Nous avons continué d'avancer entre les haies de spectateurs en direction de l'entrée voûtée, avec son haut portail savamment forgé, orné de lions et d'agneaux, puis nous nous sommes arrêtés.

J'ai jeté un coup d'œil sur le castel Adélaïde déserté, juste en face. Adnette Gustain n'était visible à aucune de ses nombreuses fenêtres.

Au signal de Cogneur Colonec, les cinq autres porteurs – tous aussi grands que lui, mais moins larges – ont retiré leurs casquettes et saisi le bord du cercueil. De l'autre côté du corbillard, les Gars du puisard ont fait de même. Puis, l'ayant soulevé de l'estrade, ils ont refermé leurs mains robustes sur les poignées en or et l'ont hissé jusqu'à leurs épaules. Comme en témoignaient leurs grognements et leurs soupirs, le cercueil était aussi lourd qu'il le paraissait. La musique a baissé peu à peu ; il n'est demeuré que le lent battement rythmique du tambour.

Alentour, les spectateurs se sont tus. Puis, guidés par le battement funèbre, nous nous sommes remis en marche, avons franchi la voûte et pénétré dans le cimetière.

L'endroit était bel et bien lugubre. Des volutes de brume rasante serpentaient autour de nos jambes et les ifs vert bouteille bruissaient, assourdissaient les sons, masquaient le soleil... et me hérissaient les poils de la nuque.

Je n'étais pas le seul à éprouver un tel malaise. L'inquiétude était perceptible dans les rangs derrière moi. Certains observaient les environs avec anxiété, jetaient des coups d'œil par-dessus leurs épaules ou tordaient le cou pour scruter, nerveux, les ombres entre les arbres. Un membre des Noirs de fumée, dont le cercle de bougies distinctif sur le large bord de son chapeau cylindrique vacillait, a soudain sursauté, la bouche ouverte de frayeur – avant de se reprendre, embarrassé. Un membre du gang du Suif a sorti un mouchoir jaune de la poche de sa veste cirée à haut col et s'est tamponné le front.

Puis j'ai remarqué Bob, la brute qui nous avait défiés la veille, Florian et moi. Nos regards se sont rencontrés, et j'ai vu la terreur dans ses yeux.

J'ai entendu Florian chuchoter :

– Cet endroit me donne la chair de poule.

– À moi aussi, Florian, ai-je soufflé. Et eux non plus ne l'aiment pas, ai-je ajouté, désignant du menton les chevaux près du portail.

Les deux étalons piétinaient et hennissaient, fébriles, tandis que le malheureux cocher s'efforçait de les empêcher de fuir au galop.

Pendant ce temps, le service d'ordre se précipitait pour nous donner les instructions. Nous avons pris nos places respectives dans un large cercle autour de la fosse, les douze gangs disposés en douze cônes étroits, comme les divisions d'un vaste cadran d'horloge. Florian et moi étions avec les Preneurs de rats, nos hauts-de-forme serrés dans nos mains, juste derrière l'immense pierre tombale en marbre, qui venait de quitter le dépôt, ciselée et polie le matin même. Elle marquait la dernière demeure de l'empereur. Devant nous se tenait le pasteur, qui saluait tour à tour les arrivants.

C'était le révérend Benoît Bobinot. Un personnage voûté et desséché dont les fins cheveux blond pâle, avec leur raie de côté très basse, tressautaient comme un carré de paille tressée chaque fois qu'il inclinait la tête. D'après ce que je savais, il avait eu jadis une église dans l'allée du Galop pleine de beaux messieurs et de généreuses dames charitables. Mais son amour du porto et des paris sur les courses d'escargots avait causé sa ruine. Il s'était ensuivi un scandale que l'archevêque avait réglé en envoyant le pasteur dans une chapelle délabrée des quais. Là, il évitait tout contact. Néanmoins, dès que les gangs l'exigeaient, il accourait. Le bon révérend était manifestement nerveux – mais qui ne l'aurait pas été dans ce morne cimetière, cerné par les plus redoutables habitants des quais de la Mitraille ?

– B-b-bonjour, m-m-monsieur C-C-C...

Cogneur et les autres porteurs ont doucement posé le cercueil près de la tombe, parmi les couronnes et les bouquets déjà livrés, en attente. Puis il s'est redressé lentement, a remué les épaules et souri au révérend Bobinot.

– Co... Colonec, a enfin terminé l'infortuné pasteur.

On aurait cru que la clique des Sacs de farine venait de lui rendre visite, tant il était blême.

– À supposer qu'un jour pareil puisse être qualifié de bon, monsieur le pasteur, a observé Cogneur, montrant le cercueil avec solennité.

– T-t-t-t-t-rès juste, a bégayé le pasteur, sa langue tapant contre ses dents comme un bec de pivert alors que ses joues et ses oreilles devenaient aussi cramoisies que l'ample ceinture qui pendait sur sa robe d'ecclésiastique.

Vu son état, je n'avais pas grand espoir pour la cérémonie, je dois le reconnaître – et je savais que Cogneur Colonec n'apprécierait pas que les funérailles de l'empereur soient gâchées par l'incapacité du pasteur à aligner trois mots. Pourtant, dès qu'il s'est mis à réciter les paroles funèbres rituelles, le révérend Bobinot a pris une voix claire, profonde et continue, tel un glas.

– Nous sommes rassemblés ici devant Dieu, a-t-il psalmodié, pour rendre hommage à notre frère et confier son corps...

Au-dessus de nos têtes, un corbeau s'est approché en tournoyant ; son croassement sonore a fait sursauter le pasteur et plusieurs membres de l'assistance. Quantité de ses bruyants congénères l'ont suivi. Les cris rauques et perçants ont enflé à mesure que de nouveaux oiseaux noirs comme du jais fondaient sur le cimetière, l'extrémité effilée de leurs ailes frôlant les aiguilles des ifs au moment où ils se posaient. Ils se sont perchés au bout des branches déployées, qui fléchissaient sous leur poids, ont ouvert leurs grands becs d'ébène et crié si fort que le pasteur a été obligé de hausser la voix pour se faire entendre.

Il y en avait deux douzaines – un cauchemar de mercière – et, pendant que je les comptais, j'ai eu l'impression qu'un treizième gang des quais était arrivé pour honorer la mémoire du défunt. Perchés en rond, la tête dressée, leurs yeux noirs brillants et froids, ils ont regardé les porteurs descendre le cercueil dans la fosse.

– Tu es terre et tu retourneras en terre, a psalmodié le pasteur, et il a lancé une poignée de boue collante sur le couvercle du cercueil. Tu es poussière et tu retourneras en poussière.

Le front baissé, nous avons murmuré une dernière prière, et la cérémonie s'est achevée. Tandis que le cercle se disloquait, les membres des gangs ont commencé à s'éloigner en file indienne. J'allais les suivre lorsque Florian m'a tiré par la manche de mon manteau.

– Que font-ils donc ? a-t-il chuchoté.

J'ai regardé la tombe derrière moi. Les fossoyeurs étaient arrivés pour la refermer. Mais auparavant, l'un d'eux était descendu sur le cercueil. J'ai entendu de légers cliquetis. Pendant ce temps, son collègue avait planté un long pieu, terminé par un crochet comme une houlette, dans le sol à gauche de la pierre tombale, et il y suspendait une cloche. Un instant plus tard, le premier fossoyeur est réapparu et sorti du trou, tenant une chaîne dans sa main.

Adnette avait bien fait son travail, ai-je noté. Je me suis retourné vers Florian.

– C'est un extra que fournissent les pompes funèbres de catégorie supérieure, lui ai-je expliqué d'un air sombre. Une garantie pour ne pas être enterré vivant.

J'ai entendu Florian retenir une exclamation. Le premier fossoyeur a tendu le bras et fixé le bout de la chaîne à la cloche. L'autre extrémité, je le savais, entourait déjà l'index droit de l'empereur. J'ai indiqué la tombe.

– C'est juste au cas où le médecin serait allé un peu vite en besogne. S'il se réveille dans le cercueil, le défunt peut tirer sur la chaîne pour faire sonner la cloche, et les gardiens du cimetière viennent à son secours.

– Enterré vivant... a soufflé Florian. Vous imaginez ça ?

Non, je ne pouvais ni ne voulais l'imaginer. Mais je savais que c'était arrivé. Quand la maladie s'abattait sur la ville (comme l'épidémie de paludisme quelques années plus tôt ou la dysenterie l'été précédent) et décimait la population, les médecins débordés n'étaient pas toujours aussi scrupuleux qu'ils auraient dû l'être. Plus d'une fois, des gens avaient été déclarés morts... et s'étaient réveillés dans le noir complet six pieds sous terre. C'est pourquoi ceux qui pouvaient se le permettre s'offraient une chaîne à doigt et la cloche qui l'accompagnait. Certains allaient même plus loin. Théodore Borée, un financier millionnaire, avait modifié son testament lorsqu'il était tombé malade et exigé d'être décapité après sa mort ; il avait engagé d'avance un samouraï pour exécuter cette mission.

– Viens, Florian, ai-je dit en lui mettant la main sur l'épaule. Laissons ces pensées lugubres. En route !

Nous avons fait demi-tour. Le cimetière s'était rapidement vidé après la cérémonie. Le pasteur était déjà reparti, de même que le corbillard, et les derniers membres du cortège passaient en hâte l'entrée voûtée. Nous avons pataugé à leur suite dans l'herbe mouillée, jetant des coups d'œil nerveux en arrière tandis que nous serpentions entre les tombes des siècles écoulés. Les corbeaux avaient cessé de crier, mais ils demeuraient là, comme de sinistres moines encapuchonnés avec leurs ailes noires repliées sur leurs corps dodus.

Un instant plus tard, dans un parfait ensemble, la colonie entière a battu des ailes et s'est envolée, croassant plus fort que jamais. Au sortir de ce lieu sinistre, nous avons pris la promenade des Belvédères et grimpé sur le toit de l'entrepôt d'un importateur de thés. Par une trouée entre les bâtiments derrière nous, le cimetière restait visible : tel du lait caillé, l'épaisse brume enveloppait les arbres charbonneux et, au-dessus, les corbeaux décrivaient des cercles.

– Cet endroit me fiche la trouille, a dit Florian, la voix tremblante.

– Ne t'inquiète pas, lui ai-je répondu. Le vieux Barbefauve est mort et enterré, nous lui avons rendu hommage, il n'y a donc aucune raison pour que nous retournions un jour là-bas.

J'étais loin de soupçonner, au moment où je prononçais ces paroles fatidiques, combien elles se révéleraient fausses…

CHAPITRE 4

Quelques semaines plus tard, alors que le souvenir de ces lugubres funérailles avait pâli dans ma mémoire comme le brasero d'un veilleur de nuit à l'aube, j'ai rendu visite à mon vieil ami, l'éminent zoologiste et professeur Rosier-Desgranges. J'étais de charmante humeur – et pour cause !

Mon protégé, Florian Pastor, venait d'obtenir son premier emploi de voltigeur. Un apothicaire nommé Arnold Laboureur avait fait de lui son envoyé tic-tac attitré pour livrer des potions et des pilules à ses nombreux clients dans toute la ville. Désormais, Florian mettait son art en pratique sur les toits citadins, du bruyant Bief-du-Potier, où résonnaient les marteaux et les maillets des tonneliers, charrons et chaudronniers, à la Chapelle-Noire feutrée, avec ses avocats et ses ecclésiastiques ; de la miteuse Porte-du-Levant à la prétentieuse Chaudefont ; du marché aux soies de l'opulente Galerie Gauthier aux sordides mansardes du Nid de guêpes délabré...

J'étais ravi pour lui, et avec son salaire il avait pu louer une chambre à côté de la mienne, s'acheter un magnifique haut-de-forme neuf et un gilet de garde-chasse. Souriant de la bonne fortune de Florian, je me suis laissé glisser le long d'un tuyau jusqu'au rebord de la fenêtre du laboratoire et je suis entré.

Le professeur (RD pour ses amis) était installé sur un canapé en velours vert, le visage dans l'ombre de la revue scientifique qu'il lisait. J'ai toussé. Il a sursauté, s'est dressé comme un ressort, et la revue est tombée à terre avec un froissement.

– Edgar ! s'est-il écrié. Vous m'avez fait peur !

– Désolé, RD, ai-je dit. Je...

Ma phrase est demeurée en suspens.

– Que vous est-il donc arrivé ?

– Comment ça ? a-t-il demandé.

– Vos yeux, ai-je répondu en pointant le menton vers les deux épaisses marques noires qui les cernaient. Vous ressemblez à un panda !

Le professeur a froncé les sourcils, ôté ses lunettes et marché jusqu'à un grand miroir où il a examiné son reflet durant quelques secondes.

– Oh, je comprends ! a-t-il gloussé. Ce sont les restes de la résine que j'ai utilisée pour enduire le masque...

– Le masque ? ai-je répété.

– Oui, a confirmé le professeur, tamponnant ses yeux de panda avec un mouchoir sale. J'essayais de le rendre étanche, mais je n'ai pas réussi : il laissait passer des litres d'eau. Finalement, j'ai obtenu beaucoup mieux...

Le professeur s'est interrompu en voyant mon air perplexe. Il a frotté ses lunettes contre sa blouse de laboratoire avant de les remettre, puis il m'a pris par le bras.

– Commençons par le commencement, mon cher Edgar.

Il a souri.

– Je veux vous montrer quelque chose.

Tandis qu'il me conduisait vers un plan de travail en marbre au fond du laboratoire, une nette odeur de poisson pourri m'a empli les narines. Il s'est arrêté devant une longue et profonde boîte métallique, dont il a retiré le couvercle. La terrible odeur m'a fait larmoyer.

– Assez nauséabond, a concédé le professeur, mais on s'habitue.

Je n'en étais pas convaincu. La main plaquée sur le nez et la bouche, j'ai cillé pour chasser les larmes et j'ai baissé les yeux. La boîte contenait une demi-douzaine de poissons d'espèces différentes. Je les ai reconnus d'après les étals de poissonniers des marchés de la ville. Il y avait une morue, un maquereau, une truite de mer et un hareng ; un carrelet plat, dont la peau était aussi mouchetée que le sable du fond marin où il avait vécu, et une longue roussette tachetée.

Chacun d'eux avait le corps abîmé par une marque circulaire semblable à une brûlure : les écailles manquaient et la chair au-dessous était boursouflée, à vif.

– Je les ai trouvés dans le port, a dit le professeur, saisissant une paire de longues pinces et tapotant les poissons. Tous étaient morts et flottaient à la surface de l'eau.

– Que s'est-il passé, selon vous, RD ? ai-je demandé, d'une voix étouffée car je ne voulais pas écarter ma main.

– Je ne sais pas trop, a répondu le professeur en secouant la tête. Mais j'ai une théorie…

Jovial, il a souri de toutes ses dents brillantes, en plissant ses yeux cernés de noir.

– Et je vais avoir besoin de votre aide, Edgar.

J'ai accepté avec enthousiasme.

– Bien sûr, lui ai-je dit. Toujours heureux de rendre service, vous le savez !

Le professeur Rosier-Desgranges avait des théories sur tout, des accents régionaux des chiens à la cleptomanie des pies, des campagnols sauteurs aux bouvreuils agresseurs de chats. La plupart de ces théories, je dois l'avouer, se révélaient fausses – mais la passion du professeur demeurait intacte et travailler pour lui ne cessait de me fasciner.

– Ce soir, je veux que vous veniez en canot avec moi dans le port, pour explorer la base du rocher.

– La base ? ai-je dit, intrigué.

Le rocher se dressait au milieu de la baie, entre les quais de la Mitraille et les docks de la Darsène, son sommet festonné d'oiseaux marins au nid ; sa base, elle, se trouvait au moins à vingt mètres de profondeur.

– Mais comment ?

– Ça, mon cher Edgar, a répondu le professeur, un pétillement dans ses yeux de panda, vous le verrez ce soir.

Et c'est ainsi que, au moment où la cloche à la cime de l'édifice de la Compagnie batave orientale d'import-export sonnait le quart précédant l'heure, je me suis retrouvé près des eaux clapotantes de la Darsène. En ce dimanche soir, excepté deux marins ivres, mis à la porte des tavernes, qui regagnaient leurs navires et l'équipage d'une yole de pêche nocturne, le calme régnait sur les quais. J'ai longé les remparts du port, le petit phare épais du Ramel à ma droite, dont la lumière avertissait des étendues boueuses traîtresses tandis que la lune se levait. Un cormoran solitaire s'est perché à proximité sur une roche déchiquetée, ailes déployées, long cou noir tendu. Des goélands argentés tournoyaient dans le ciel, gémissant comme des bébés.

Il y avait une foule de navires au mouillage, plus ou moins grands, des majestueux clippers aux modestes barges. Certains venaient du bout du monde. *Le Tantale*, par exemple, qui fonctionnait au charbon et arrivait des Moluques avec sa cargaison de bois dur ; ou *Le Seigneur de l'océan* à double cheminée, apportant de Valparaíso son minerai de cuivre ; et, un drapeau orné d'un dragon cramoisi claquant au sommet de son mât central, une élégante jonque qui avait navigué depuis la mer de Chine orientale avec ses soies, ses épices et ses coffres laqués.

J'ai continué mon chemin le long des remparts jusqu'aux appontements où étaient amarrés les bateaux de pêche plus petits. Une brume légère dansait à la surface de l'eau et les planches sous mes pieds ployaient et grinçaient. De part et d'autre, les embarcations, leurs cordes attachées à des cabestans usés par les intempéries, oscillaient au rythme de la faible houle.

J'ai salué deux pêcheurs au visage tanné qui retiraient d'un monceau de casiers à homards les vigoureux crustacés qu'ils avaient capturés. Derrière eux, j'ai aperçu plusieurs poissonnières aux joues écarlates, leurs mains rouge vif et leurs tabliers éclaboussés d'entrailles tandis qu'elles vidaient et découpaient en filets les aiglefins et les harengs pour les marchés du petit matin, puis les jetaient dans les paniers prévus à cet effet.

– Edgar ! a crié une voix. Par ici !

Agenouillé à l'extrémité de l'appontement, le professeur levait la tête et me faisait signe. Je lui ai fait signe à mon tour.

– Bonsoir, RD, ai-je lancé alors que je m'approchais. Je ne suis pas en retard, j'espère.

– Non, non, a-t-il répondu d'un ton joyeux. Ponctuel, comme toujours. Je vérifiais juste que tout était prêt.

Sur les planches à côté du professeur était posée une combinaison d'un aspect assez singulier. Elle semblait faite en toile cirée, avec des bottes et des gants assemblés sans couture.

– De quoi s'agit-il ? ai-je demandé.

– Ceci, a répondu le professeur, une indubitable fierté dans la voix, est ce que j'appelle une tenue Neptune. Tissée dans le meilleur lin huilé, puis enduite de mon propre mélange de caoutchouc et de cire, afin d'assurer à la fois l'isolation et la ventilation du porteur lorsqu'il part explorer sous l'eau.

– Je vois, ai-je dit doucement.

– Et, pour remplacer le tuba et le masque, a continué le professeur, j'ai fabriqué ceci.

Il s'est tourné vers une petite caisse en bois derrière lui. Je l'ai regardé faire coulisser la tige et soulever le couvercle. Il a plongé les deux mains à l'intérieur et, avec un petit grognement, a sorti un casque métallique, composé de plaques de cuivre boulonnées, avec une partie vitrée.

– Voilà ! a-t-il annoncé. La cagoule respiratoire. Un peu lourde et encombrante, je vous l'accorde, mais elle est étanche… et elle ne vous fera pas des yeux de panda !

– Vous voulez que je mette votre tenue Neptune et que j'aille me promener sous l'eau autour du rocher ? ai-je demandé.

Le professeur avait toujours des surprises en réserve, mais celle-ci n'était pas piquée des hannetons.

– C'est ça, grosso modo, mon cher Edgar, a confirmé le professeur d'un ton enjoué. Et pendant que vous serez là-bas, j'aimerais que vous ramassiez des patelles. Vous voyez, j'ai une théorie…

J'écoutais de toutes mes oreilles. Le professeur m'employait parce qu'il connaissait mon goût de l'aventure et des défis. Qui d'autre que moi aurait grimpé sur la statue de sir Rudy Ronald au milieu du parc du Centenaire pour observer les bouvreuils ? Ou fait voler un cerf-volant en plein orage depuis le dôme du théâtre de la Gaieté ? Mais avec la tenue Neptune, le professeur me proposait sa gageure la plus sérieuse à ce jour. Ôtant ma veste, mon gilet et mes chaussures, j'ai pris la combinaison en toile cirée et je m'y suis glissé tant bien que mal pendant que RD m'exposait sa théorie.

Le tissu raide ne prêtait pas, il crissait quand je bougeais, mais la combinaison était parfaitement à ma taille. Le professeur l'avait de toute évidence confectionnée à mon intention. Parlant avec fougue, il a grimpé dans le petit canot amarré à l'appontement ; je l'ai suivi, la cagoule respiratoire coincée sous le bras.

Il s'est révélé que la théorie du professeur concernait une espèce précise de mollusque exotique, originaire du bout du monde, arrivée dans le port sur les coques des cargos (à ce qu'il croyait). D'après lui, la patelle épineuse de Kuching se détachait pour chasser les poissons dans les courants marins, paralysait ses proies et les dévorait, ne regagnant sa roche que la nuit. Le professeur était persuadé qu'une colonie de ces coquillages s'était installée à la base du rocher au milieu du port et qu'elle était responsable de la mort des poissons découverts à proximité.

Dénouant la corde d'amarrage et saisissant les rames, le professeur a entrepris de quitter la plateforme et de s'avancer dans le port. C'était un homme maigre, anguleux, de carrure étroite (l'intellectuel typique) : son adresse à manœuvrer le canot et sa vigueur à ramer m'ont donc étonné. Il a dû s'en apercevoir, car il m'a dit, très fier, qu'il avait fait de l'aviron pour son université quand il était étudiant. Il n'avait rien perdu de son habileté. Nous avons bientôt laissé les appontements derrière nous et, grâce aux coups de rame puissants et réguliers du professeur, gagné le port et les eaux plus profondes qui entouraient le rocher.

Comme nous en approchions, les oiseaux marins qui nichaient dans les crevasses des escarpements ont crié et se sont envolés en tournoyant au-dessus de nous. Le professeur a cessé de ramer, posé les avirons et m'a repris la cagoule respiratoire. Je l'ai regardé fixer avec soin l'extrémité d'un long tube souple à un anneau en cuivre sur le casque. L'autre extrémité était reliée à un appareil posé aux pieds du professeur, qui rappelait un soufflet de forge.

– Avec le respirateur que voici, je vais envoyer de l'air dans la cagoule, m'a-t-il expliqué tout en plaçant le casque sur ma tête.

Il a serré plusieurs écrous à ailette autour du col de la combinaison et vérifié que l'ensemble était étanche ; pendant ce temps, je m'habituais à l'impression étrange que me donnait la tenue Neptune. Les appels des goélands et le clapotis de l'eau étaient étouffés, les effluves piquants d'algue marine et d'eau salée remplacés par une odeur de métal à laquelle se mêlaient des relents âcres, comme du bitume ou du caoutchouc brûlé ; ma vision, elle, se réduisait au petit rectangle du panneau vitré.

– Tout va bien ? a demandé le professeur, d'une voix qui m'a paru sourde et lointaine.

– Très bien, ai-je répondu, mes paroles résonnant à l'intérieur du casque.

– Descendez dans l'eau en vous accrochant au flanc de la barque, m'a indiqué le professeur tandis qu'il fixait une corde à une boucle de la combinaison. Ensuite, le poids du casque vous entraînera vers le fond. Respirez normalement, sans vous affoler.

J'ai hoché la tête ; le bruit de ma respiration semblait incroyablement fort au-dedans du casque.

– Lorsque vous voudrez remonter, tirez sur cette corde et je vous ramènerai à la surface. C'est la pleine lune, mais les rayons n'atteignent pas les profondeurs, il vous faudra donc ceci.

D'une main, il a présenté une hachette et, de l'autre, un genre de harpon complété d'une pièce d'artifice.

– Nous avons là une fusée sous-marine éclairante, a expliqué le professeur. Quand on tire sur le cordon, un composé à base de magnésium s'échappe et réagit avec l'eau. Il jette une lumière vive pendant une bonne minute, en cas de besoin. Enlevez autant de patelles que possible. Elles seront inactives à cette heure et ne devraient pas vous poser de problème.

J'espérais qu'il avait raison. Le professeur a rapproché son visage du panneau vitré et souri de toutes ses dents.

– Fin prêt ? a-t-il demandé.

– Fin prêt, ai-je répondu, déterminé.

Avec son aide, j'ai grimpé sur le banc à l'arrière du canot, marché le long de la poupe et regardé en contrebas. Ici, passés les remous incessants du port intérieur autour des quais, la mer était assez limpide, malgré la brume ondoyante qui s'épaississait au-dessus d'elle.

Le professeur m'a tapoté l'épaule, et je me suis retourné en hochant la tête. Le moment était venu de me jeter à l'eau ; une fois encore, je devais faire confiance à RD et à ses inventions. Il ne m'avait jamais déçu jusque-là. Je me suis baissé et, les pieds les premiers, je suis entré dans la mer clapotante.

Alors que je m'immergeais, j'ai senti une pression froide m'assaillir de tous côtés. Prenant le harpon éclairant d'une main et la hachette de l'autre, j'ai lâché le canot et commencé à m'enfoncer avec lenteur. Le lourd casque m'entraînait, exactement comme le professeur l'avait annoncé. Plus bas, toujours plus bas. Je continuais pourtant à distinguer les petits poissons argentés qui se précipitaient dans les profondeurs d'un vert soutenu. Après ce qui m'a paru être une éternité, mais n'a sans doute duré que trente secondes, mes pieds ont touché le fond meuble et sablonneux de la mer.

Juste devant moi se découpait la silhouette noire du rocher. Je me suis appliqué à maîtriser mon souffle tandis que mes oreilles s'accoutumaient au sifflement de l'air qui arrivait dans le casque. La tenue Neptune, avec sa cagoule respiratoire, semblait remplir son office. Je voyais mes bouffées s'échapper par une valve latérale et remonter vers la surface en un chapelet de bulles étincelantes.

À longues foulées bondissantes, j'ai progressé sur le fond marin ; chacun de mes pas soulevait des nuages de sédiments. Les lieux se révélaient obscurs et tristes, et les courants y étaient puissants. Je me suis approché à grand-peine d'un affleurement sombre et, coinçant la hachette sous mon bras gauche, j'ai libéré ma main droite pour tirer sur le cordon de la fusée sous-marine. Une étincelle a crépité, puis une vive lumière est apparue au bout de la tige. Elle a mis en relief la surface du rocher.

C'est alors que je l'ai vu...

L'affleurement sombre s'est écarté de la paroi et déployé devant moi. J'ai compris que ce n'était ni une patelle, ni un coquillage ou autre mollusque. En fait, hormis des algues et une mousse verte, le rocher n'abritait aucune espèce vivante. Non : ce qui fixait sur moi ses horribles yeux roses était la substance des cauchemars aquatiques, un épouvantable serpent de mer d'une taille effarante.

Son corps seul, aussi épais que le mât d'un clipper, devait mesurer deux mètres cinquante. Il portait, sur le dos et le ventre, une crête de piquants mouchetés, tandis que deux nageoires musculeuses remuaient, rapides, de chaque côté, tels les fouets de charretiers. Mais le plus monstrueux de tout, c'était la tête de la créature. À quelques centimètres de mon casque de plongée, je la voyais, aplatie, spatulée, avec son sommet piqueté et griffé par d'innombrables combats,

*Ce qui fixait sur moi ses horribles yeux roses était la substance
des cauchemars aquatiques…*

et ses yeux roses, glaciaux, enfoncés de part et d'autre d'un museau pourvu de barbillons cinglants.

Le serpent s'est redressé. À travers le panneau vitré de la cagoule respiratoire, je me suis trouvé face à la gueule terrifiante du monstre marin : une cavité profonde et ténébreuse, entourée par des cercles concentriques de crocs recourbés, tranchants comme des rasoirs. Une langue s'est déroulée, fibreuse, épaisse, dotée de trois dents pointues, tandis que la créature fondait sur moi.

Soudain, tout n'a été que mouvement confus. Dans ma terreur, j'ai lâché le harpon éclairant, que la mer a emporté. Mais j'ai réussi à prendre la hachette dans ma main droite au moment où, avec un frottement hideux, la bouche de la créature s'accrochait telle une ventouse à mon bras gauche, que j'avais levé d'instinct pour me protéger la figure. Mes cris d'effroi résonnant sous le casque métallique, j'ai frappé à l'aveuglette le corps flexible et ondulant du monstre alors même que je sentais la douleur cuisante de ses dents qui s'enfonçaient dans mon avant-bras à travers le tissu huilé.

J'ai asséné des coups de hache répétés, trouant la peau noire écailleuse de la créature, pénétrant la chair caoutchouteuse au-dessous, puis libérant la lame. Autour de nous, l'eau écumait et bouillonnait, pleine d'écailles noires, de morceaux de chair blanche et de volutes de sang rouge.

Puis, inopinément, aussi abruptement que tout avait commencé, ç'a été fini. La créature a lâché prise et j'ai basculé en arrière, le puissant courant du port m'a soulevé du fond et entraîné dans la direction opposée au rocher. Trop tard, alors que je m'éloignais, je me suis aperçu que j'avais, dans ma furie, tranché la corde qui me rattachait au canot du professeur. Au même instant, une secousse d'une violence terrible au niveau de mon cou m'a indiqué que le tube relié au respirateur ne pouvait pas aller plus loin.

Près de mon oreille droite a retenti un bruit sec, comme un bouchon de champagne qui saute. Le tube s'était décroché de la valve du casque et l'eau s'est mise à envahir la cagoule.

J'ai inspiré une ultime goulée d'air et je me suis mis à nager vers la surface, luttant contre le poids du casque en cuivre – un instant plus tôt, mon moyen de survie ; désormais, la cause du danger. Ces minutes dans les eaux sombres du port, à subir l'effet du courant et à me battre pour atteindre la surface, ont été les plus longues de mon existence. Et, tandis que l'eau salée montait dans la cagoule, m'emplissait les oreilles et me brûlait les yeux, j'ai vraiment cru ma dernière heure arrivée.

Puis, après avoir agité les bras, battu des jambes et crachoté dans d'interminables efforts, j'ai senti mes pieds toucher une épaisse couche de galets. Je me suis hissé au milieu d'une fracassante avalanche de cailloux, le casque pesant sur mes épaules et ma tête sur le point d'exploser.

Tout à coup, le casque a fait surface et le rivage est apparu, flou derrière la vitre embuée. Traînant sur les derniers mètres mon corps épuisé, j'ai gravi les hauts-fonds et je me suis affaissé dans la boue, l'eau s'écoulant du casque comme de la bière s'échappe d'un tonneau renversé.

– Le puisard de la Mitraille, ai-je chuchoté. Il a fallu que j'échoue ici...

Immédiatement au-delà du tuyau d'égout s'étendait un endroit dans lequel je croyais n'avoir aucune raison de retourner un jour. Mais à présent, je n'avais guère le choix. Entre moi et l'appontement de la Darsène, vers lequel un professeur abasourdi et bouleversé devait ramer de toutes ses forces en ce moment même, il y avait le cimetière.

J'aurais pu faire un grand détour, repartir en direction de la promenade des Belvédères et traverser la zone d'entrepôts des quais de la Mitraille, mais j'étais un envoyé tic-tac – trempé, débraillé et à demi noyé, mais un envoyé tic-tac néanmoins. Je ne faisais pas de grands détours. Je prenais des raccourcis, et le plus court des raccourcis passait par le cimetière Adélaïde.

J'ai suivi les grilles noires, franchi le portail et je marchais à grands pas entre les pierres tombales sombres et silencieuses lorsqu'un son m'a figé sur place.

C'était un tintement de cloche…

CHAPITRE 5

Voilà qu'il reprenait, léger mais caractéristique. Quelque part dans le cimetière Adélaïde, une chaîne à doigt agitait la cloche d'une pierre tombale. Je me suis arrêté et j'ai observé autour de moi les sinistres rangées de dalles funéraires, de statues et de stèles commémoratives qui s'étendaient dans la brume.

La cloche a tinté une nouvelle fois.

Peut-être qu'un animal nocturne – un rat des quais ou un chat sauvage – s'était empêtré dans la chaîne et cherchait simplement à se libérer. L'autre possibilité était trop horrible à envisager.

J'ai poursuivi mon chemin vacillant à travers le cimetière, sans cesser de parcourir les sépultures des yeux, m'accrochant à l'espoir que j'avais raison et que c'était une fausse alerte. Pour les défunts ensevelis avec une chaîne à doigt, un service de garde était assuré pendant une durée variable, jusqu'à six jours parfois, selon le tarif. Et comme les tintements persistaient, je pensais voir un veilleur de tombes homologué, bêche à la main, sortir de la guérite dont je me rapprochais bien vite dans la brume. Mais lorsque je suis arrivé à sa hauteur, elle était vide, son brasero éteint et froid comme le marbre.

Levant la tête, j'ai aperçu la haute silhouette du castel Adélaïde, qui dominait le côté opposé du cimetière. Un unique rectangle de lumière sur la gauche de la façade montrait qu'Adnette Gustain était la seule locataire restante.

Un violent frisson m'a saisi et j'ai grimacé, car la douleur sourde dans mon bras gauche devenait plus intense. J'ai eu un haut-le-cœur et je me suis accroupi, la tête entre les genoux, en attendant qu'il s'atténue. Le sang cognait à mes oreilles et je me sentais soudain brûlant et fiévreux, mais la nausée est passée.

Je me suis redressé, ma tenue Neptune crissant comme le harnais d'un cheval de trait, et j'ai continué ma route dans le cimetière. Parmi les spirales de brume, les anges aux yeux de pierre des mausolées me dévisageaient, impassibles, leurs ailes ouvertes étrangement menaçantes dans le clair de lune.

J'avais des faiblesses et des vertiges, mais les douleurs aiguës qui me transperçaient maintenant le bras me rappelaient à la réalité. Il fallait que j'atteigne la Darsène.

La cloche a tinté de nouveau, tout près, et au même instant j'ai trébuché, perdu l'équilibre et basculé la tête la première sur un tertre humide et herbeux. Le casque de plongée m'a échappé. Je me suis retourné, gémissant tandis que la douleur irradiait dans mon bras blessé comme une allumette au phosphore, et j'ai constaté que je m'étais pris les pieds dans une couronne funéraire, aux fleurs splendides réduites à un fouillis de tiges et de pompons noircis. Un ruban détrempé traînait dans l'herbe, lettres d'or sur fond cramoisi : *À notre patron bien-aimé. Dans nos cœurs, tu restes vivant. Les Gars du puisard.* Les mots ont miroité devant mes yeux et ma tête s'est mise à tourner.

Envahi par une nouvelle nausée, je suis retombé avec une plainte étouffée. L'herbe ruisselante de rosée glacée avait une fraîcheur merveilleuse et, tandis que j'appuyais contre elle ma figure fiévreuse, j'ai commencé à me sentir un peu mieux.

C'est alors que la cloche a tinté juste au-dessus de moi.

J'ai tourné la tête et ouvert un œil. La lumière argentée de la lune éclairait un pieu en forme de crochet, une chaîne métallique tendue et, à son extrémité, une petite cloche en cuivre qui se balançait, hésitante. J'ai regardé plus haut. Les yeux impénétrables de l'ange de pierre ornant la stèle étaient fixés sur moi. Des rayons de lune ont joué sur la surface en granit noir brillant et mis en valeur les lettres gravées.

Erwan « Barbefauve » Rodric, ai-je lu. *Cruellement emporté dans sa cinquante-deuxième année. Il fut parmi les hommes un majestueux lion à la crinière rousse. Jamais les quais ne reverront son pareil.* Le tintement s'est arrêté soudain et j'ai eu l'impression que mon cœur, lui aussi, s'arrêtait une seconde. Il n'y avait pas d'animal empêtré dans la chaîne à doigt. Celle-ci descendait sans obstacle vers le sol où elle disparaissait pour rejoindre, quelque six pieds sous terre, l'anneau métallique au doigt inerte de Barbefauve Rodric...

J'étais étendu, pétrifié par la peur, mon visage fiévreux enfoui dans l'herbe fraîche gorgée de rosée. Alors, j'ai entendu, quasi imperceptible au début, le plus ténu des grattements.

J'ai prêté une oreille attentive : le grattement a augmenté, est devenu un horrible raclement griffeur. Tout à coup, le sol s'est mis à trembler sous moi. Avec un cri de terreur sauvage étranglé, je me suis jeté en arrière tandis que le tertre herbeux se déchirait, presque à l'endroit où ma tête avait reposé.

Une énorme main crispée, dont chaque ongle, chaque phalange portait une gangue de boue, est apparue, bientôt suivie par une deuxième, au milieu d'une gerbe de terre et de fange. Cloué par l'horreur de la scène, j'ai vu la tombe s'ouvrir, des mottes, des éclats de bois du cercueil et des couronnes funéraires noircies voler en tous sens.

Une grande silhouette sombre s'est hissée hors des décombres et redressée à la manière d'un ours sauvage tiré de son hibernation. Le dos tourné, elle a penché la tête vers la stèle, comme si elle lisait l'épitaphe. Secoué par des tremblements incontrôlables, j'ai entrepris de reculer en rampant. La tenue Neptune crissait et gémissait à chacun de mes gestes. Dans le ciel, les nuages noirs teintés d'argent se sont écartés : le clair de lune a inondé le cimetière. Lentement, Barbefauve Rodric a pivoté face à moi.

Le bel habit funèbre de l'empereur – une veste brodée et un foulard au nœud savant, un pantalon à carreaux noirs et blancs avec une ample ceinture jaune ouatinée serrée autour d'un gros ventre affaissé – était chiffonné et couvert de boue noire. Un anneau d'or brillait à l'index de l'une des mains épaisses, la chaîne arrachée. Dans l'air flottait une écœurante odeur douceâtre qui était celle, reconnaissable entre toutes, de la chair en putréfaction.

Certes, ces détails se sont imprimés dans ma mémoire. Mais si, encore aujourd'hui, des sueurs froides me viennent quand je repense à cet épisode, c'est en raison du spectacle qui s'est offert à moi lorsque Barbefauve Rodric a tourné son visage vers le mien.

Sur ces traits horribles, inscrite dans les chairs en décomposition, se lisait l'histoire du décès tragique de l'empereur des quais de la Mitraille : une cargaison de pièces d'artifice et les eaux troubles du port.

Lentement, Barbefauve Rodric a pivoté face à moi.

Barbefauve le brûlé, le noyé, posait sur moi un œil blanc aveugle. La partie gauche de sa figure était exsangue, parsemée de taches bleues, les lèvres et la joue devenues verdâtres. Mouchetée de boue, sa grande barbe d'un roux flamboyant paraissait encore plus colorée sous ce visage livide. Dans la partie droite, le feu avait dévoré les poils roux et la peau pendait sur la joue et le cou en longues boucles cireuses, des scories et des cendres incrustées dans la masse informe. Les lèvres étaient boursouflées et soudées d'un côté. L'oreille droite entière avait fondu et, les tissus s'étant refermés sans elle, il était impossible de voir où elle était jadis. Quant au nez, la narine gauche était intacte, mais les flammes avaient rongé la moitié droite et révélé la cavité sombre au-dessous, bordée par l'os et noircie.

Tandis que l'empereur des quais de la Mitraille se dressait au-dessus de moi, la brume a paru s'épaissir, le sang marteler plus fort dans mes tempes et la douleur lancinante s'intensifier dans mon bras. J'ai reculé et fermé les yeux, en souhaitant de toutes mes forces que le cauchemar se termine. La puanteur de la chair pourrissante a augmenté. J'ai reçu une grêle de cailloux et de terre tandis qu'une queue-de-pie en soie me frôlait la joue et que résonnaient des pas lourds, accompagnés d'un petit bruit de succion, comme des fruits trop mûrs qui s'écrasent sous le pied.

Quand j'ai rouvert les yeux, j'étais étendu devant une tombe vide, jonchée de débris funèbres. L'ange de pierre, les ailes ouvertes, me regardait à travers la brume et, dans mon égarement fiévreux, j'ai cru voir un frisson lui parcourir le corps et lui ébouriffer les plumes.

C'en était assez. Ramassant la précieuse cagoule respiratoire du professeur, je me suis relevé à grand-peine et traîné en direction des réverbères qui brillaient au loin, près du portail d'entrée – près de l'issue.

La tête me tournait. À quoi venais-je d'assister ? Barbefauve Rodric, l'empereur des quais de la Mitraille, avait perdu la vie et été inhumé deux semaines plus tôt, or ne l'avais-je pas, à l'instant, vu s'extraire de sa propre tombe ?

En consultant le *Journal du surnaturel de Guéant* à la bibliothèque d'Inframont pour les érudits de l'Arcane, j'avais appris que de tels phénomènes s'étaient produits dans les lointaines îles des Indes. Mais ici, en pleine ville, sur les quais de la Mitraille ?...

Alors que mes pensées se bousculaient, j'ai atteint le rond de lumière jaune au portail du cimetière, et voilà qu'une main m'attrape l'épaule ! J'ai glapi de terreur et je me suis libéré, le casque de plongée levé au-dessus de ma tête prêt à fracasser la hideuse figure de Barbefauve Rodric.

– Nom d'une pipe ! s'est exclamée Adnette Gustain, ramenant son châle en laine noire sur ses lourdes épaules et approchant de moi son gros visage rouge. On jurerait que vous avez vu un fantôme…

CHAPITRE 6

L e visage d'Adnette Gustain demeurait devant moi, une lueur inquiète dans ses yeux en boules de loto.

– Pardonnez-moi si je vous ai fait une frayeur, Edgar Destoits ! s'est-elle écriée. Mais il m'a semblé voir des silhouettes se déplacer dans le cimetière. Des fantômes et des goules, auraient dit mes voisins ; mais Adnette Gustain ne croit pas à de telles sottises. Non, j'ai pensé qu'il s'agissait de déterreurs de cadavres, plutôt, venus exhumer les corps des pauvres défunts pour les vendre à ces anatomistes et chirurgiens bouchers de la place Debiche.

J'ai avalé ma salive avec difficulté, ma langue était si sèche qu'elle semblait collée à mon palais. Je transpirais et frissonnais, mes tempes palpitaient.

– Le cimetière Adélaïde ne serait pas le premier que ces marchands de cadavres profanent ces temps-ci, a-t-elle chuchoté d'un ton de conspiratrice. D'ailleurs, il ne sera pas le dernier, retenez ce que je vous dis là, Edgar Destoits.

Elle a haussé les sourcils.

– À propos, vous n'auriez pas aperçu un beau monsieur en train de rôder ? Il porte une longue cape noire, ornée de fourrure d'ocelot, et un haut-de-forme chic avec un ruban rouge foncé. Je gagerais ma dernière piécette qu'il est un de ces déterreurs...

D'un faible signe de la tête, j'ai indiqué que non. Je cherchais à me concentrer sur les paroles d'Adnette Gustain et à chasser de mon esprit la vision cauchemardesque de l'empereur.

– Dommage... Je parie qu'il exerce la médecine ou une profession de ce genre, a-t-elle poursuivi, sa voix chantante résonnant dans ma tête. Dites, vous auriez besoin d'une bonne tasse de thé, Edgar Destoits. Une tasse d'Assam fumé pour vous réchauffer.

– Du thé, ai-je murmuré. Du thé...

– Oui, c'est ça, une tasse de thé, a-t-elle répondu en souriant. Rentrez avec moi, jeune Edgar. Adnette Gustain saura vous recevoir...

– Non, non, ai-je refusé. Merci, Adnette, mais je suis pressé. Il faut que j'aille à la Darsène. C'est pour cette raison que j'ai décidé de couper par le cimetière et...

– Et quoi, Edgar ? a-t-elle demandé en rapprochant son visage. Qu'avez-vous vu ?

– Je n'ai pas le temps de vous raconter, ai-je marmonné alors que la figure hideuse de Barbefauve Rodric resurgissait dans mon esprit. Le professeur... il va se faire du souci. Il m'attend... je dois le rejoindre...

Je me suis détourné puis éloigné en vacillant, la cagoule respiratoire coincée sous le bras. Derrière moi, j'ai entendu Adnette Gustain lancer une foule de questions. Me sentais-je bien ? Pourquoi portais-je ce vêtement étrange ? Pouvait-elle m'aider d'une façon ou d'une autre ? Je n'ai pas eu l'énergie de lui répondre. J'avais besoin de toutes mes réserves si je voulais atteindre la Darsène. Adnette m'a crié d'être prudent et de prendre soin de moi ; après l'angle de la rue, sa voix a cessé de me parvenir.

Il n'était plus question de raccourci par le cimetière Adélaïde. Je me suis résigné à faire le grand détour, le long des remparts du port, pour regagner les appontements de la Darsène.

Il n'y avait presque personne. J'ai poursuivi ma route d'une démarche trébuchante, le cœur cognant à coups sourds et les jambes lourdes comme du plomb, peinant à mettre un pied devant l'autre. La lune, bas dans le ciel et voilée par le brouillard, donnait une blancheur mate à la crête des vagues et projetait des ombres sur les remparts. Comme très peu de gens passaient, les rats enhardis avaient quitté leurs trous infects. Ils se précipitaient çà et là, emportant la nourriture qu'ils pouvaient trouver – des feuilles de chou et des pelures d'oignon, du grain renversé… Une demi-douzaine d'entre eux se disputaient une courge pourrissante ; occupés à se délecter de la pulpe orange, ils ne m'ont pas prêté attention.

Un son grave et puissant a résonné dans le port et, levant la tête, j'ai vu le phare du Ramel qui éclairait au loin les étendues de boue. La corne de brume a résonné une nouvelle fois tandis que j'approchais de la Darsène.

– Edgar ! a appelé une voix bien connue. Mon cher Edgar.

C'était le professeur. Son manteau ouvert, ses cheveux flottant au vent, il arrivait à toutes jambes par l'un des appontements, ses pas martelant les planches.

– Oh, ma parole, Edgar, s'est-il écrié d'une voix aiguë et tremblante, je suis si heureux de vous voir ! J'allais alerter les autorités et leur demander de ratisser le port.

Il a secoué la tête.

– Ma théorie sur les patelles épineuses de Kuching était fausse. Vous ne devinerez jamais ce que j'ai trouvé…

Il s'est interrompu, son air de soulagement remplacé par une expression inquiète.

– Mais, mon cher petit, vous êtes blessé ! Laissez-moi regarder…

Comme le professeur me prenait le bras, une douleur si intense m'a transpercé que j'ai laissé échapper un cri. Soudain, le peu de force qui me restait m'a abandonné, mes genoux ont fléchi et tout est devenu noir.

Lorsque j'ai repris conscience, j'étais allongé sur une surface moelleuse et confortable. Une lumière vive brillait et, sous mes paupières fermées, tout avait une teinte rouge orangé. Pendant un moment, je suis resté ainsi, à écouter un oiseau qui gazouillait, très proche, et, plus loin, des cuillers de bois cliquetant contre des casseroles métalliques.

J'ai ouvert les yeux et regardé autour de moi. Des nuages blancs floconneux filaient dans le carré de ciel derrière la vitre et un moineau guilleret était perché sur le rebord de la fenêtre.

– Ah, Edgar ! s'est écrié le professeur à l'autre bout de la pièce. Vous êtes réveillé !

Me haussant sur un coude, je l'ai observé pendant qu'il remplissait une tasse avec un liquide rouge pâle puis traversait en hâte le laboratoire jusqu'au lit improvisé (un sofa rembourré complété par des couvertures) où j'étais allongé. Il m'a tendu la boisson fumante et mes narines ont frémi en sentant son arôme épicé.

– Une infusion de garance, a-t-il dit. Des vertus roboratives exceptionnelles.

– Alors, combien de temps ai-je dormi au juste ?
ai-je demandé avant de porter à ma bouche la boisson
parfumée et de boire une gorgée.

Le professeur a saisi la montre suspendue à une
chaîne sur son gilet boutonné et l'a consultée. Il a
froncé les sourcils, et j'ai vu ses lèvres remuer tandis
qu'il effectuait un rapide calcul.

– Trente-sept heures, a-t-il déclaré.

– Trente-sept heures ! ai-je bredouillé en asper-
geant de tisane la blouse déjà tachée de RD. Mais...
mais alors nous sommes...

– Mardi, a terminé le professeur. Mardi après-midi.
Treize heures trente-sept, pour être précis.

Il a replacé la montre dans la poche de son gilet et
dit avec compassion :

– Vous avez été très souffrant, mon cher Edgar.

– Souffrant ! me suis-je exclamé alors que je
mettais la tasse de côté et me levais d'un bond.
Mais... pourquoi ne m'avez-vous pas réveillé, RD ?
J'ai une clientèle à satisfaire...

Soudain, je me suis senti très faible. La tête m'a
tourné et mes jambes se sont amollies. Je suis retombé lourdement sur le sofa et j'ai serré mon front
entre mes mains.

Déjà mardi ! Mais tous mes rendez-vous de lundi ?
La réputation d'un envoyé tic-tac tenait à sa ponc-
tualité. Dans ma profession, je ne pouvais pas me
permettre d'être en retard.

– J'ai fait des analyses, a expliqué le professeur. La créature qui vous a mordu s'est révélée venimeuse. Un venin à action lente, d'après mes calculs. Absolument fascinant !

Il a pointé le menton en direction de la fenêtre, près de laquelle une combinaison cirée était drapée sur le dossier d'une chaise.

– Sans la tenue Neptune, ç'aurait pu être bien pire...

Peu à peu, la mémoire m'est revenue. J'effectuais une mission de plongée, j'avais subi une attaque...

– Pour neutraliser le poison, a dit le professeur en se penchant et en touchant avec douceur mon bras bandé, je vous ai appliqué un cataplasme de sphaigne.

Il a souri.

– Le peuple inupiat de l'Arctique ne jure que par cette mousse.

– Mais qu'est-ce que c'était ? ai-je demandé. La créature qui m'a attaqué ?

– Venez, je vais vous montrer, a répondu le professeur.

J'ai tressailli de surprise.

– Vous l'avez ici ?

– Oui, je l'ai sortie de l'eau. Vous aviez réussi à l'achever, Edgar. Remarquez, a-t-il ajouté avec un petit rire, la transporter n'a pas été facile, d'autant que j'avais sur les bras un envoyé tic-tac sans connaissance.

Cette fois-ci, je me suis levé plus lentement. J'ai attendu une minute, le temps que la pièce arrête de tourner autour de moi.

– Il s'agit d'une lamproie à écailles noires, a révélé le professeur tandis qu'il m'aidait à traverser le laboratoire. En général, on la trouve dans les eaux tropicales de l'Orient.

Il m'a conduit tout au fond de la pièce jusqu'à une immense cuve où la créature sans vie flottait dans une solution de formol jaune pâle. J'ai étouffé une exclamation. Même morte, la lamproie était impressionnante.

– Pour atteindre nos côtes, ce beau spécimen aux redoutables mâchoires a dû se cramponner à la coque d'un cargo, a expliqué le professeur. Sa morsure est très puissante et, comme je vous l'ai dit, extrêmement toxique. Mais vous ne le savez que trop, n'est-ce pas, Edgar ? a-t-il observé avec un sourire penaud.

J'ai secoué la tête d'un air sombre, regardant une nouvelle fois les cercles de féroces dents recourbées qui entouraient le gosier opaque – dents qui s'étaient plantées si douloureusement dans mon bras. Je voyais aussi les profondes marques sur le cou et sur la tête monstrueuse, aux endroits où j'avais asséné des coups de hache répétés dans mes efforts frénétiques pour me libérer.

Soudain, les événements extraordinaires de cette nuit terrifiante ont tous resurgi en un flot. Le monstre marin, la noyade à laquelle j'avais échappé de justesse – et l'apparition hideuse que j'avais vue dans le cimetière...

– RD, ai-je commencé, il s'est passé autre chose cette nuit-là...

Et j'ai raconté au professeur l'épisode effroyable dans le cimetière Adélaïde.

Il m'a écouté jusqu'au bout avec une expression pensive. Puis, remplissant de nouveau ma tasse, il m'a tapoté l'épaule.

– D'après votre récit, a-t-il déclaré, je soupçonne que le venin de la lamproie contient un hallucinogène...

– Un hallucinogène ? ai-je demandé.

– Une substance qui trouble la perception, m'a répondu le professeur. Elle vous a très probablement fait voir des choses, Edgar, qui n'existaient pas...

– Vous voulez dire que tout était imaginaire ? l'ai-je interrompu, incrédule.

– C'est fort possible, mon cher. Fort possible. Après tout, a-t-il conclu en souriant, les cadavres n'ont pas pour habitude de ressusciter et de s'extraire de leur tombe, vous en conviendrez ?

Je n'ai pu qu'exprimer mon accord et, malgré mon bras en écharpe et mes vertiges, la pensée que Barbefauve Rodric n'était pas réellement sorti de sa tombe et que la scène entière avait été une hallucination m'a bien soulagé, je dois le reconnaître. Le professeur m'a garanti que les effets du venin de la lamproie avaient eu tout le temps de se dissiper et que je pourrais me passer de l'écharpe d'ici un jour ou deux. Puis il m'a présenté ses plus ardentes excuses pour m'avoir exposé sans le vouloir à un danger pareil – même s'il semblait ravi que sa tenue Neptune ait été si efficace.

Pendant que je rassemblais mes affaires et que je m'apprêtais à partir, il m'a tendu une enveloppe. Elle contenait le double de ma paie habituelle.

– Pourvu que vous vous sentiez suffisamment rétabli, Edgar, a déclaré le professeur en me donnant une petite tape sur l'épaule tandis qu'il me raccompagnait. Mais aujourd'hui, vous préférerez peut-être sortir par la porte plutôt que par la fenêtre.

J'ai éclaté de rire. C'était un sage conseil et, pour une fois, j'ai décidé de le suivre. Il faut avoir l'esprit clair et l'usage de ses deux bras pour voltiger au-dessus de la ville, or la morsure de cette lamproie écailleuse m'avait épuisé. Ayant promis de revenir plus tard dans la semaine, j'ai dit au revoir au professeur et je suis parti.

J'avais une impression bizarre à me retrouver parmi tous les rampants collés aux pavés ; certes moins éprouvantes que les toits, les rues n'étaient pourtant pas un long fleuve tranquille. D'abord, il y avait les chariots et les carrosses, dont les cochers maniant le fouet fonçaient par les voies étroites sans se soucier des piétons. Ensuite, il y avait la foule qui se pressait sur les trottoirs resserrés – qui jouait des coudes, m'envoyait des coups d'épaule, me poussait dans le dos. Avec mon bras en écharpe et les vertiges encore présents, marcher jusqu'à mon logis de la ruelle de l'Alouette encagée m'a autant épuisé que voltiger du nord au sud de la ville.

Revêtue de coquilles d'huîtres écrasées mêlées à des cendres de charbon, éclairée par un unique réverbère à pétrole, la ruelle de l'Alouette encagée se situait juste au-dessus du carrefour entre la rue des Catacombes et la montée du Marcassin. Mais le passant inattentif qui ne remarquait pas cette venelle discrète était excusable, et voilà précisément ce qui me plaisait en elle. C'était un coin oublié, ignoré de la grande ville fourmillante et, hormis les marchands de papier Brieuc-Arnold à l'angle et la cour Brillard, où l'on réparait les voitures de louage, mon immeuble était le seul autre bâtiment de la ruelle.

Vieux et abîmé, le 3 ruelle de l'Alouette encagée avait besoin d'un rafraîchissement. Attention, je ne me plains pas. Vu la qualité de ma chambre, je payais un loyer très raisonnable. Et surtout, un voltigeur tel que moi trouvait au sommet de l'édifice (qui comportait

Ignace le Borgne était un ancien combattant âgé.

cinq étages) un excellent panorama et un accès facile aux toitures voisines.

Mais ce jour-là, je n'ai pas dévalé le tuyau de descente pour entrer par ma fenêtre mansardée. J'ai imité les habitants plus conformistes et pris l'escalier menant à la porte principale.

Comme je montais les marches, les paroles du vendeur de journaux du quartier ont flotté jusqu'à moi dans la brise. Avec sa jambe de bois et son bandeau sur l'œil, Ignace le Borgne était un ancien combattant âgé qui complétait sa maigre pension du mieux qu'il pouvait. Durant la journée, il vendait les quotidiens ; le soir, il distrayait les habitués de *Côtelette et Gargoulette* en racontant ses souvenirs de campagnes à quiconque voulait bien lui offrir un verre. J'avais passé tant d'heures à écouter les histoires de sa vie de soldat dans les lointaines contrées de l'Orient !

– Lisez l'article ! lançait Ignace le Borgne de sa voix bourrue. On a volé le corps d'un parrain de la pègre ! Lisez l'article ! Des déterreurs de cadavres ont saccagé la tombe d'un chef de gang ! Lisez l'article !

Pivotant sur mes talons, je me suis précipité au coin de la rue. J'ai échangé une piécette de cuivre contre la dernière édition du *Bulletin quotidien*, et un frisson glacé m'a parcouru l'échine alors que je commençais à lire.

Hier soir, pendant que les honnêtes gens de la ville dormaient dans leur lit, le corps d'un chef de gang à la triste réputation, Erwan « Barbefauve » Rodric, a été dérobé dans le cimetière Adélaïde, au cœur du quartier de la Mitraille. La police du secteur soupçonne les déterreurs de cadavres – les « réveilleurs de trépassés », comme les surnomme la population locale – d'être les auteurs de cette profanation...

CHAPITRE 7

De retour chez moi, je me suis effondré dans
mon vieux fauteuil pour lire le *Bulletin quotidien*. Je dois l'avouer, mes mains tremblaient
pendant que je me concentrais sur la colonne im-
primée en petits caractères. Il semblait que Barbefauve Rodric était simplement la dernière victime en
date de profanations répétées qui frappaient les enclos
funèbres et les nécropoles de toute la ville. Lorsque je
l'avais rencontrée au cimetière Adélaïde, Adnette
Gustain n'avait pas tenu un autre discours, mais j'étais
alors trop épouvanté et affecté par le venin de lamproie pour l'entendre. À présent, l'information figurait
là, sous mes yeux, en noir sur blanc.

Le journaliste avait la ferme conviction que c'était
l'œuvre des déterreurs de cadavres, ou des réveilleurs
de trépassés, une poignée d'individus si honnis et si
méprisables que même les gangs des quais de la

Mitraille niaient un quelconque lien avec eux. Les corps qu'ils dérobaient finissaient apparemment sur les tables en marbre des amphithéâtres de dissection clandestine, où des étudiants en anatomie payaient une coquette somme pour les examiner.

On pouvait obtenir un bon prix d'un cadavre enterré depuis peu. Plus la mort était récente, moins le chirurgien dénué de scrupules hésitait à se montrer généreux – sans poser de questions et dans l'intérêt de la recherche scientifique, bien sûr !

L'article du *Bulletin quotidien*, très valable et mesuré, semblait confirmer la théorie du professeur, et je voulais croire que l'épouvantable apparition dans le cimetière était un pur produit de mon imagination, rendu saisissant de vie par le venin d'une créature marine exotique. En fait, je n'avais peut-être vu qu'une tombe ouverte, saccagée par les déterreurs de cadavres. Le reste se réduisait à une terrible hallucination, comme l'avait affirmé RD. Oui, je voulais sincèrement le croire – et pourtant, la scène m'avait semblé si réelle que le doute persistait dans mon esprit...

À cet instant, de petits coups ont résonné à la fenêtre et j'ai levé les yeux : Florian Pastor regardait par la vitre sale. Je lui ai fait signe d'entrer. Il a poussé le battant et sauté en souplesse sur le plancher.

– Edgar, mais où étiez-vous ? m'a-t-il demandé. Je commençais à...

Il a remarqué mon bras en écharpe et l'inquiétude s'est peinte sur ses traits.

– Qu'est-il arrivé ?

– Assieds-toi, Florian, ai-je dit, car c'est une longue histoire.

J'ai secoué la tête.

– Une histoire que j'essaie encore de mettre au clair. Certains épisodes demeurent assez inconcevables...

– Racontez-moi, m'a-t-il dit.

J'ai donc narré les étranges événements qui s'étaient déroulés au cours des journées précédentes. Florian m'écoutait avec attention ; ses yeux s'agrandissaient à mesure que je décrivais mon expédition dans le port et la bataille sous-marine contre la lamproie à écailles noires. Lorsque j'en suis arrivé à l'incident dans le cimetière, il a sursauté avec une telle violence que j'ai cru qu'il allait tomber de sa chaise.

– Incroyable, a-t-il soufflé.

– Je sais, Florian, je sais, ai-je répondu. Le professeur considère que le venin de la lamproie me brouillait l'esprit et me donnait des visions.

– Alors Barbefauve Rodric n'est pas sorti de sa tombe ? a demandé le jeune garçon d'une voix presque réduite à un murmure.

– J'essaie de m'en persuader, ai-je dit. La scène m'a paru très réelle, et pourtant...

J'ai secoué la tête. Le doute persistait.

– Il ne peut pas être vivant, n'est-ce pas, Florian ? Nous avons tous les deux assisté à ses funérailles voilà deux semaines.

J'ai baissé les yeux et tapoté le journal plié sur mes genoux.

– Et, selon le *Bulletin quotidien*, c'est une bande de déterreurs de cadavres qui a exhumé Rodric et vendu son corps pour la dissection.

– La dissection ? a répété tout bas Florian.

Il a froncé les sourcils.

– Votre traversée du cimetière remonte à dimanche soir, je ne me trompe pas ?

J'ai confirmé.

– Intéressant… a-t-il repris. J'ai en effet remarqué quelque chose de bizarre lundi matin. En fin de nuit.

– Dis-moi, l'ai-je pressé en m'inclinant vers lui.

– Monsieur Laboureur, l'apothicaire, m'avait chargé d'une livraison nocturne, a expliqué Florian. De nombreux cas d'infections pulmonaires s'étaient déclarés à l'hôpital Saint-Jude et j'ai dû apporter en urgence des pilules de soufre et de morphine. Le vieux monsieur Laboureur avait travaillé très tard pour les préparer… Bref, il était quatre heures et demie du matin lorsque je me suis présenté à l'hôpital, et il faisait encore nuit noire. Au moment où j'arrivais, j'ai vu un vieux chariot s'arrêter, deux espèces de voyous sauter à terre et sortir une longue caisse en bois…

– Un cercueil ? ai-je demandé.

– De la même taille, a dit Florian, mais de forme différente. Une boîte allongée, rien de plus.

– Hum... Et qu'en ont-ils fait ?

– Vous posez la bonne question ! Au lieu de passer par l'entrée principale, ils ont contourné le bâtiment ; Gersault les attendait à l'arrière.

– Gersault ?

– Le garçon d'amphithéâtre, a répondu Florian avec une moue méprisante. Des yeux globuleux et une peau pleine de verrues. Aucune infirmière ne le supporte... Dans ses meilleurs jours, il est fuyant, mais ce matin-là, il avait l'air plus sournois que jamais. Il jetait sans cesse des coups d'œil autour de lui, et je suis certain qu'il a donné de l'argent aux deux types...

Florian m'a regardé.

– Je n'y ai guère prêté attention sur le moment, Edgar, mais ç'aurait bel et bien pu être un cadavre.

– Barbefauve Rodric, peut être ? ai-je demandé.

– Je ne sais pas, a-t-il reconnu. La caisse était plutôt grande. Et, après tout, elle est arrivée le matin qui a suivi la disparition du corps...

J'ai hoché la tête tandis qu'un frisson me parcourait l'échine. Qu'avais-je donc vu exactement, dans mon état fébrile, au cœur du cimetière Adélaïde ? Était-ce une simple invention de mon imagination ? Je l'espérais vraiment. L'autre possibilité – un retour à la vie de Barbefauve Rodric – était trop effroyable à envisager. Nous étions mardi. Même si le corps devait finir sur la table de dissection, son étude ne pouvait pas être déjà terminée.

– Viens, Florian, ai-je dit en me levant. Je ne serai pas tranquille tant que je n'aurai pas découvert la vérité.

– Direction l'hôpital ? a-t-il demandé.

– Direction l'hôpital.

Avec mon bras en écharpe, il n'était toujours pas question de voltiger. Florian et moi avons donc traversé la ville parmi tous les rampants collés aux pavés. L'après-midi touchait à sa fin et les rues fourmillaient de gens.

Nous avons zigzagué dans les Sentes, ces très vieilles ruelles pavées bordées par des ateliers minuscules qui, chaque jour, exposaient leurs productions à l'extérieur de leurs locaux exigus. Une foule tumultueuse se bousculait tandis que les clients à l'affût des bonnes affaires allaient d'étal en éventaire et marchandaient bruyamment.

J'ai réussi à dépasser une douairière corpulente, dont le nez avait la couleur du porto et les bras dodus disparaissaient sous un monceau de têtières en dentelle criarde, et qui discutait leur prix d'une voix stridente. Juste à côté, un jardinier courbé par le rachitisme inspectait une rangée de bêches devant la quincaillerie Grégoire. Un peu plus loin, deux enfants crasseux taquinaient un petit chien maigre avec la pomme caramélisée qu'ils partageaient : ils le faisaient bondir puis cachaient la friandise dans leur dos, et l'animal jappait de frustration...

Lorsque nous sommes arrivés au carrefour entre la ruelle des Marchands et le chemin de la Croupe, la puanteur de l'abattoir Viriol a rencontré la forte odeur piquante de l'usine de vinaigre Saussaire, ce qui composait un mélange innommable. Nous bouchant le nez, nous avons pénétré dans la rue Margolie, où flottait un nuage de poussière rose et blanche. Seuils, marches, trottoirs, rebords, la moindre surface de cette rue étroite était couverte d'une fine poudre.

Quatre boutiques plus loin, l'enseigne arrondie surmontant un portail en fer forgé annonçait en lettres gothiques : *Augustin Morel et compagnie, marbrerie funéraire.* J'ai scruté l'intérieur au passage.

Deux ouvriers trapus en combinaison se tenaient au milieu de la cour, enveloppés par un tourbillon de poussière tandis qu'ils sciaient un gros bloc de marbre veiné. Assis à leur droite sur un tabouret bas, un mouchoir à pois rouges et noirs noué autour de la tête, un troisième ouvrier taillait au ciseau et au marteau une pierre tombale cintrée. Il sifflotait un joli air allègre qui s'élevait au-dessus des martèlements, la mélodie guillerette contrastant avec la nature lugubre de son travail.

Près de lui s'empilaient par rangées des pierres prêtes à recevoir leurs inscriptions. Noires, blanches, roses ou grises. Extravagantes pour certaines, modestes pour d'autres. Il y avait des blocs voûtés et des corniches oblongues. L'une était sculptée en forme de parchemin, une autre en forme de livre à jamais entrouvert, tandis que plusieurs étaient de simples croix élégantes en granit ou en grès.

Toutefois, si je me suis arrêté, bouche bée, le regard fixé sur la cour de la marbrerie, ce n'était pas à cause des pierres tombales, mais en raison des silhouettes sculptées qui les surmontaient : des anges de pierre, les ailes écartées, les mains jointes et la tête courbée, leurs yeux aveugles tournés vers le sol. Un frisson incontrôlable m'a saisi alors que, l'espace d'un instant, je revivais l'horrible scène dans le cimetière Adélaïde.

Une main s'est posée sur mon bras.

– Vous vous sentez bien, Edgar ? a demandé Florian. On jurerait que vous avez vu un…

– N'en dis pas plus ! l'ai-je interrompu. Viens, l'hôpital est à deux pas.

Nous avons tourné au coin du mail des Évêques : la haute façade imposante néoclassique de l'hôpital Saint-Jude s'est dressée devant nous.

Trente ans plus tôt, cet établissement était un scandale – un nid à microbes dont les patients avaient de la chance s'ils en sortaient vivants. Ses médecins étaient les pires bouchers imaginables, ses infirmières des souillons qui carburaient à l'eau-de-vie. Mais tout avait changé durant la dernière guerre, lorsqu'un nouveau genre de personnel soignant était apparu dans les hôpitaux militaires de l'Orient. Ces anges de la miséricorde avaient mis fin aux conditions effroyables dans lesquelles les soldats blessés dépérissaient et introduit leurs nouvelles méthodes de propreté, de sobriété et d'ordre méticuleux à leur retour de la guerre. Saint-Jude était aujourd'hui un hôpital exemplaire, qui apportait soulagement et bien-être aux malades de la ville.

– L'activité habituelle, a commenté Florian alors que nous approchions de l'entrée sévère.

J'ai hoché la tête. Une grande animation régnait dans la cour : de nombreuses voitures tirées par des chevaux se disputaient les places au pied de l'escalier circulaire, un flot continu de personnes entrait et sortait par les larges portes cloutées. Certaines s'appuyaient sur des béquilles, d'autres étaient allongées sur des civières et, comme nous montions les marches, je me suis surpris à diagnostiquer les maux des gens près desquels nous passions.

Le visage écorché, les jambes écrasées, un jeune enfant transporté par son père avait sans doute été victime d'un accident de la circulation. Une femme au bras entaillé avait dû subir l'attaque d'un chien enragé. Allongé sur un brancard en bois, un vieil homme à la peau grisâtre et aux joues creuses, qui toussait derrière un mouchoir tacheté de sang, souffrait manifestement de la tuberculose…

Florian et moi avons pénétré dans le hall spacieux et l'ambiance est devenue autre : clarté, chaleur et atmosphère âcre, car l'odeur de suie des lampes fixées aux murs se mêlait aux effluves caractéristiques du savon désinfectant. Les infirmières vêtues de blouses blanches immaculées répartissaient les patients sans force en colonnes méthodiques dans la vaste pièce voûtée, puis les envoyaient vers les différents services de l'hôpital, où ils recevraient des soins.

– Pour les fractures, c'est par là, nous a lancé une grande infirmière aux lunettes cerclées de métal, regardant mon bras en écharpe et m'indiquant un long couloir sur la droite.

– Ne vous inquiétez pas, madame, est intervenu Florian. Nous sommes ensemble. Nous faisons une livraison.

– Oh, bonsoir, Florian, a dit l'infirmière avec un sourire. Je ne t'avais pas vu.

Elle a levé les yeux vers le plafond voûté.

– Aujourd'hui, c'est le chaos. Le chaos absolu... Non, s'il vous plaît ! s'est-elle écriée en se lançant à la poursuite d'une grosse femme dont la figure était couverte de boutons suppurants. Je vous l'ai déjà dit, les bains soufrés sont de ce côté...

Nous l'avons laissée là. Florian m'a guidé dans le vaste hall dallé de marbre vert et gris pâle, orné d'une splendide mosaïque du caducée ; un unique serpent vert, son immense gueule venimeuse ouverte, s'enroulait autour du bâton noueux.

– La morgue est en bas, m'a dit Florian lorsque nous sommes arrivés à un escalier au fond du hall.

Des scènes classiques étaient peintes sur les murs : des bébés ailés voletant qui agitaient des raisins devant la bouche de jeunes filles voluptueuses ; des centaures et des satyres, des groupes d'hommes en robes longues et aux barbes épaisses. Un personnage se détachait. Plus grand que ses compagnons, il avait une plume dans une main et une hache dans l'autre ; au-dessus de sa tête, une petite flamme brûlait au milieu d'un halo. Florian a pointé le menton vers lui alors que nous nous engagions dans l'escalier.

– C'est saint Jude, a-t-il déclaré.

À mesure que nous descendions, les bruits du hall d'entrée s'atténuaient. Tenant des lanternes rougeoyantes, quelques infirmières tout de blanc vêtues nous ont croisés, puis un médecin, qui avait l'un de ces stéthoscopes ultramodernes, m'a-t-il semblé, rangé dans le bord de son haut-de-forme ; nous avons poursuivi notre descente vers les profondeurs ténébreuses du grand hôpital.

Au bas de l'escalier, Florian a poussé une double porte vernie sombre et nous avons pénétré dans une vaste salle voûtée où des rangées de tréteaux en bois se fondaient dans la pénombre. Loin au-dessus de nos têtes, un simple lustre composé de quatre bougies blanches (dont trois brûlaient) était suspendu à une chaîne au centre de la voûte.

– Puis-je vous aider ? a demandé une sourde voix cassée derrière nous.

J'ai fait volte-face et découvert un petit individu courbé en blouse sale, aux cheveux noirs graissés, qui nous considérait d'un œil mauvais. Me glissant un regard complice, Florian s'est avancé et a sorti une fiole de sa poche.

– Oui, je crois, a-t-il répondu. Je cherche le docteur Leroy. J'apporte le médicament qu'il a demandé...

– Le médicament ? a répété l'homme d'un air étonné. Ne sais-tu pas où tu te trouves, fiston ? Ici, c'est la morgue.

Il a montré les tréteaux enveloppés dans des linceuls.

– Les médicaments arrivent un peu tard pour ceux-là, a-t-il ajouté avant de lancer un rire rauque.

– Oh, mais bien sûr, quel idiot je fais ! a dit Florian d'une voix naïve et joviale. À tout hasard, vous ne pourriez pas...?

Il a laissé sa phrase en suspens.

Le garçon d'amphithéâtre a claqué la langue et remué la tête.

– Je ne sais pas, a-t-il marmonné. Fichus envoyés tic-tac ! Bon, viens avec moi, fiston. Je vais te conduire.

Il a pris Florian par le bras et tous deux ont franchi la double porte. Resté seul dans la morgue, je me suis retourné et approché des rangées de tréteaux. Chaque plateau était couvert d'un linceul blanc duquel dépassait une paire de pieds, une étiquette soigneusement nouée au gros orteil. J'ai jeté un coup d'œil sur la première. *Élise Maurice*, ai-je lu, en lettres noires moulées et inclinées. *Cause du décès : croup.* Et, au-dessous, en majuscules rouges épaisses : *À INHUMER.* Je suis passé à la deuxième : *Thomas Regnard. Cause du décès : arrêt cardiaque. À INHUMER.* J'ai suivi la rangée. *Coup à la tête. Apoplexie. Fièvre... À INHUMER. À INHUMER. À INHUMER...* Huit plateaux plus loin, je me suis arrêté, le cœur battant la chamade dans ma poitrine tandis que je lisais l'étiquette :

Nécessiteux inconnu. Cause du décès : noyade. À DISSÉQUER.

Le corps sous le linceul était beaucoup plus grand que les autres. Du côté de la tête, une mèche de cheveux apparaissait tout juste et, à la lueur des bougies, elle semblait avoir une teinte rousse. Je me suis penché, les mains tremblantes. J'avais chaud et froid en même temps. J'ai touché le linceul. Alors, il y a eu un mouvement léger, mais bien réel, sous le tissu. Je me suis figé, glacé d'effroi.

Avec un bruit sourd, un bras a glissé le long du plateau et pendillé mollement, les doigts de la main noueux et tordus. Je respirais par saccades. Pouvait-il s'agir du cadavre déterré de Barbefauve Rodric ?

Il fallait que je le sache.

Me dirigeant vers le haut du plateau, j'ai saisi le tissu, lentement soulevé le drap blanc... et laissé échapper un cri. Ce n'était pas l'empereur des quais de la Mitraille, mais un pauvre vieil homme qui avait au moins vingt ans de plus que lui, tout gonflé et marbré par l'eau du port. Un ivrogne des tavernes, très certainement ; il avait dû trébucher sur les pavés au cœur de la nuit et personne n'avait réclamé son corps. Le garçon d'amphithéâtre avait sans doute négocié avec la police du port (qui repêchait les noyés) et réussi à obtenir quelques piécettes des médecins à l'étage.

En tout cas, ce n'était pas l'œuvre des déterreurs de cadavres. Au dire de tous, ceux-ci choisissaient des morts de fraîche date, susceptibles de leur rapporter des sommes substantielles... Je me suis détourné pour examiner les étiquettes restantes. Ne trouvant pas d'autre corps destiné à la dissection, j'ai regagné la sortie avec un étrange sentiment de déception et de soulagement mêlés.

Comme je poussais la porte vernie, j'ai entendu un cri suraigu et je me suis trouvé face à une infirmière au charme éblouissant.

– Vous m'avez fait peur ! a-t-elle soufflé, avant de se baisser pour ramasser la liasse d'étiquettes vierges qu'elle avait lâchées et qui s'étaient éparpillées à ses pieds. Cet endroit me donne toujours la chair de poule, a-t-elle continué, une rougeur délicate aux joues tandis que je m'inclinais pour l'aider.

Elle a levé les yeux vers moi et froncé les sourcils.

– Vous n'êtes pas Gersault ! s'est-elle exclamée.

– Je crois que je me suis perdu, ai-je dit. Une erreur d'itinéraire.

J'ai haussé les épaules en montrant mon bandage.

Elle a souri tandis qu'elle rassemblait les dernières étiquettes et me passait devant pour les poser sur le bureau près de la porte. Elle s'est détournée avec vivacité puis a désigné mon bras.

– Voudriez-vous que je l'examine ? m'a-t-elle demandé.

– Si cela ne vous ennuie pas, ai-je répondu, souriant à mon tour. Mademoiselle…

– Je m'appelle Lucie, a-t-elle dit. Lucie Carmeline.

Nous avons monté l'escalier côte à côte, elle levant sa lampe et moi la regardant à la dérobée. Elle avait des cheveux acajou, relevés et couronnés par un bandeau blanc amidonné ; une peau laiteuse, avec des taches de rousseur sur les pommettes et le haut du nez ; enfin, des yeux d'un vert intense. Elle m'a entraîné par un long couloir dallé jusqu'à un cabinet de consultation vide, où elle m'a prié de m'asseoir et s'est mise à dérouler les bandes qui m'enserraient le bras.

– Je dois reconnaître que ce bandage est très soigné, a-t-elle observé.

– C'est un ami qui l'a fait, lui ai-je dit avec fierté. Le professeur Rosier-Desgranges.

– Remarquable, a-t-elle déclaré.

- Je m'appelle Lucie, a-t-elle dit. Lucie Carmeline.

Elle a plissé le nez alors qu'elle retirait la dernière couche de gaze.

– En revanche, je ne sais que dire de ceci, a-t-elle avoué en tapotant la pommade verte au-dessous.

– C'est un cataplasme de sphaigne, lui ai-je précisé. Le professeur ne jure que par cette mousse.

Lucie a éclaté de rire.

– Écoutez, j'ignore ce que la surveillante générale en penserait, mais il semble avoir une véritable efficacité.

Elle a froncé les sourcils, plissant son joli nez.

– Voilà une vilaine morsure, monsieur Destoits. Que vous est-il arrivé ?

– S'il vous plaît, appelez-moi Edgar, ai-je répondu. C'est une longue histoire. Êtes-vous sûre de vouloir l'entendre ?

– Sûre et certaine, monsieur…

Lucie Carmeline a souri.

– Edgar.

CHAPITRE 8

Il faisait nuit lorsque Florian et moi avons quitté l'hôpital et, une fois dans la rue, nous avons constaté que les allumeurs de réverbères étaient déjà passés. Les hautes lanternes en fonte brillaient et leur lumière jaune d'or baignait les principales voies publiques.

Dans la rue des Halles, *Martineau* – un grand magasin de vêtements chic – avait lancé depuis peu une curieuse mode : certains articles étaient présentés dans la vitrine, qui restait éclairée en permanence. D'autres maisons avaient suivi l'exemple. *Colin et Sima*, *Jean-Frédéric Lissier*, *Edwige de la Tour* : désormais, tous rayonnaient.

Un peu plus loin, le fourmillant quartier des théâtres était aussi bien éclairé, les façades ornées des édifices soulignées par les becs de gaz sifflants. Longeant le magnifique théâtre Petronelli et des salles comme l'*Alhambra* et *Chez Myrtille Mille-Fleurs*, je me suis arrêté pour consulter les affiches et les programmes – et demandé si Lucie Carmeline voudrait m'accompagner au spectacle…

Florian avait des livraisons nocturnes à effectuer pour l'apothicaire, je lui ai donc dit bonsoir et nous nous sommes séparés au carrefour entre la rue des Catacombes et la montée du Marcassin. Pour ma part, je comptais me coucher tôt et, puisque mon bras allait beaucoup mieux, tenter quelques figures de voltige simples le lendemain à l'aube.

Je marchais d'un pas tranquille dans les rues nettement moins bien éclairées de mon quartier lorsque j'ai entendu le joyeux brouhaha qui venait de *Côtelette et Gargoulette*, et un appétit féroce m'a soudain envahi. J'ai franchi le seuil de la taverne, l'atmosphère gaie et chaleureuse m'a enveloppé telle une couverture réconfortante et j'ai humé le délicieux parfum de la tourte au mouton à peine sortie du four.

La soirée commençait tout juste, la salle sombre n'était donc qu'à moitié remplie. Il y avait plusieurs commerçants, jeunes et vieux, venus après le travail, et un trio de bouquetières qui se réunissaient régulièrement pour refaire le monde. Certains bavardaient par deux ou par trois autour d'étroites tables rondes, d'autres restaient debout, tandis que deux buveurs solitaires s'appuyaient au comptoir.

Un petit homme aux cheveux fins, casquette sur la tête et manches retroussées, jouait avec discrétion au piano abîmé dans l'angle. La tête penchée, il interprétait un air de music-hall bien connu, mais ajoutait à la mélodie de douces ornementations délicates, comme si son propre plaisir importait plus que celui des habitués. Un chien noir et blanc était couché à ses pieds, endormi.

– Bonsoir, Edgar, a dit la patronne.

Cette dame potelée aux joues rouges avait, dans sa jeunesse, servi à la table d'un duc. Elle portait un chemisier vermillon à haut col et un tablier à pois, et elle essuyait vigoureusement un verre avec un torchon.

– On ne vous voyait plus !

– J'ai été très occupé, Fanny, ai-je répondu. Mais vos savoureuses tourtes m'ont manqué...

– Je vous en sers une tout de suite, a-t-elle dit, avec du jus en plus, comme vous l'aimez !

– Il faudra une boisson pour l'arroser, jeune Destoits, a déclaré une voix familière sur ma droite.

Me tournant, j'ai aperçu Ignace le Borgne, le vendeur de journaux, perché sur un tabouret à l'extrémité du comptoir. Il a changé de position pour me fixer de son œil valide.

J'ai souri.

– Un verre de vieux cidre, ai-je commandé à Fanny, et une pinte de bière pour Ignace là-bas.

– C'est très aimable à vous, jeune Destoits. Veuillez accepter les plus sincères remerciements d'un vétéran.

Il a pivoté sur son tabouret.

– Je vois que vous avez livré bataille aussi, mon garçon.

Il a montré mon bras bandé. J'ai souri.

– Oh, ce n'est rien, ai-je prétendu. Une simple égratignure...

– Oui, certainement, a répondu Ignace. Certainement, jeune Destoits, je n'en doute pas. Mais j'ai vu des égratignures s'envenimer, là-bas en Orient. Suppurer et s'infecter jusqu'à la perte du bras ou de la jambe...

D'un doigt sale, il a tapoté sa jambe de bois.

– Et j'ai vu bien d'autres choses encore, couché sur ce lit infect dans ce trou sordide qu'ils appelaient hôpital régimentaire, au cœur du Madari Kush, où j'essayais de guérir...

Fanny a placé la chope de bière devant Ignace. Il a avalé une gorgée enthousiaste, puis il s'est essuyé la bouche du dos de la main.

– Oh, les histoires que je pourrais raconter, jeune Destoits, a-t-il dit en plongeant son regard dans sa chope à moitié vide. Les histoires que je pourrais raconter...

Il a porté la chope à ses lèvres et l'a finie d'un trait.

– Je ne crois pas vous avoir raconté comment j'ai perdu une fortune en prenant un verre d'eau, si ?

– Il ne me semble pas, ai-je répondu alors que Fanny posait devant moi un verre de vieux cidre et une part de tourte au mouton. Mais je serais heureux de l'entendre.

Ignace fixait le fond de sa chope vide.

– Une autre bière pour Ignace, ai-je demandé à Fanny, puis j'ai emporté mon repas jusqu'à une table près du feu.

Ignace le Borgne m'a suivi, sa bière dans une main, sa béquille dans l'autre. Nous nous sommes assis face à face. La lumière jaune orangé des briquettes de charbon dansait sur son visage ravagé par la guerre. Il a levé sa chope à ma santé avant de boire une nouvelle gorgée.

– Voici ce qui s'est passé, a-t-il commencé en se calant sur son siège. Je venais de perdre ma jambe, j'étais à l'hôpital... même si cela m'échappait que cette ignoble baraque puisse porter le nom d'hôpital. Remarquez, beaucoup de choses m'échappaient, vu mon état pitoyable, à flotter dans un demi-sommeil, consumé par la fièvre et souffrant de cauchemars éveillés qui m'empêchaient de comprendre si je dormais ou non... Savez-vous de quoi je parle, jeune Destoits ?

– Je crois que oui, ai-je répondu d'une voix douce, buvant une gorgée de vieux cidre.

– En tout cas, la fièvre a fini par tomber, et quand j'ai repris conscience du monde alentour, stupéfaction ! La répugnante baraque avait été nettoyée. On avait changé mes draps et enveloppé mon pauvre moignon dans des bandages jamais utilisés jusque-là. Ma parole, pendant une minute, j'ai cru que j'étais bel et bien mort et arrivé au paradis. De fait, rien d'étonnant, puisque des anges nous soignaient, lanternes à la main, tout de blanc vêtus. Ils pourvoyaient à nos moindres besoins sans une plainte ou un mot dur. De véritables anges de la miséricorde...

Ignace a terminé sa bière et je lui en ai commandé une nouvelle. J'ai vu les flammes scintiller dans les larmes qui perlaient aux coins de ses yeux.

– Bref, a-t-il continué, un soir, ils ont amené un mort en sursis et l'ont couché dans le lit voisin du mien ; l'époque où l'on nous entassait à quatre par matelas était révolue...

– Un mort en sursis ? ai-je demandé tandis que je prenais une bouchée de tourte au mouton.

– C'est ainsi que nous appelions les cas désespérés, ceux qui ne survivraient sans doute pas au-delà de deux jours, m'a-t-il expliqué. Mais ce blessé n'était pas n'importe quel mort en sursis, non monsieur. Il s'agissait du sergent-chef Esteban Miriadec du 33e régiment d'infanterie – le plus odieux et malfaisant vaurien qui ait jamais porté l'uniforme rouge. Lui et ses trois caporaux étaient tristement célèbres dans la garnison pour leurs extorsions, leurs violences et leurs pillages. Néanmoins, en ces temps sinistres au fin fond du Madari Kush, les galonnés fermaient les yeux sur de tels agissements, surtout si les gredins savaient se battre comme des lions quand ils en recevaient l'ordre. Et ils le recevaient souvent – le 33e régiment plus que les autres. Toujours au cœur de l'action : durant la prise de Dhairalabad, le siège de Balangore et l'assaut de la Grande Redoute, le 33e régiment avait montré le chemin. Je me souviens encore du sergent-chef Miriadec sur les remparts de la Grande Redoute, brandissant l'étendard du régiment au milieu de la fumée des canons : l'ange ailé de la victoire sur un fond bleu ciel…

L'air absent, Ignace le Borgne contemplait les flammes crépitantes, et j'ai remarqué qu'il n'avait pas touché à sa bière.

– Continuez, lui ai-je demandé, brûlant de curiosité.

– Vous savez, chacun de nous s'imaginait que Miriadec et ses caporaux étaient presque invincibles, j'ai donc été très ébranlé lorsque les ordonnances l'ont amené, mort en sursis. Il avait des blessures horribles : un trou béant dans la poitrine et le bras gauche réduit à un moignon d'os brisé. Les infirmières l'ont pansé de leur mieux et ont appelé le chirurgien de la garnison, jeune médecin arrivé depuis peu pour remplacer les vieux bouchers alcooliques qui m'avaient coupé la jambe. Malgré tout, il était évident que le sergent-chef Miriadec n'en avait plus pour longtemps. Il devait le sentir car, allongé dans la lumière vacillante, il a semblé désireux de se confier avant de paraître devant son créateur. Je suis donc resté à son chevet et j'ai fait la seule chose que je pouvais faire pour lui : je l'ai écouté...

Là-bas près du piano, le chien s'était réveillé et grondait face à un ennemi que lui seul voyait. L'homme à casquette s'est arrêté de jouer et penché pour le caresser.

– Il s'est révélé, a dit Ignace le Borgne, s'interrompant afin de boire une gorgée, que lui et ses infâmes caporaux avaient commis un crime de trop. Durant toutes ces années dans les contrées de l'Orient, entre les sièges et les rébellions, Miriadec et ses camarades n'avaient reculé devant rien pour s'enrichir ; ils avaient dévalisé des palais, pillé des temples, rançonné des nobles et des princes de second plan. Bien sûr, ils prenaient soin d'effacer leurs traces et niaient invariablement tout délit quand on les accusait – ce qui était rare, vu leur terrible réputation. Mais à présent qu'il agonisait, le sergent-chef avouait ses méfaits au brave Ignace.

« Tous quatre, m'a-t-il dit, avaient amassé une grosse fortune en bijoux et en objets précieux, qu'ils avaient cachée dans une certaine grotte au cœur des collines poussiéreuses. Mais leur cupidité était si grande qu'ils en voulaient toujours plus ; et c'est ainsi qu'ils en étaient venus à piller le temple de Kal-Ramesh, déesse de la redoutable secte Kal-Khi...

– J'ai lu des descriptions des Kal-Khis, l'ai-je interrompu avec fougue, à la bibliothèque d'Inframont pour les érudits de l'Arcane. N'étaient-ils pas une bande d'assassins qui louaient leurs services ?

– Oh, plus que cela, jeune Destoits, m'a certifié Ignace en se penchant sur son siège. Beaucoup plus que cela. Là-haut dans leur temple fortifié, ils adoraient la diabolique déesse Kal-Ramesh, une statue d'or avec six bras armés, un collier de crânes humains incrustés de pierreries et un troisième œil au milieu du front. Kal-Ramesh, protectrice des âmes, déesse de la mort et gardienne des enfers... Bien sûr, pour Miriadec et sa bande, ce n'était qu'un trésor qui s'ajouterait à leur butin.

« Il m'a raconté, alors qu'il se mourait, comment ils avaient attaqué le temple avec des baïonnettes fixes et des bâtons de dynamite, s'étaient emparés de la statue et frayé un passage vers l'extérieur, tandis que l'un d'eux tenait les Kal-Khis sous la

Protectrice des âmes, déesse de la mort et gardienne des enfers...

menace d'un canon de montagne emprunté au deuxième régiment de cavalerie de Fruchard. Ils s'en étaient tirés sans une égratignure, du moins le croyaient-ils...

Ignace s'est tu et j'ai pensé un instant que sa chope était vide, mais lorsque j'ai regardé, j'ai constaté qu'il n'avait presque rien bu. Le pianiste s'est mis à jouer une joyeuse polka qui contrastait étrangement avec le sinistre récit d'Ignace.

– Le caporal Lancier, surnommé Raoul le Maboul, a été retrouvé face contre terre dans les latrines de la caserne, la moitié du crâne ouverte. Puis Tholomet le Flingueur a péri, pendu à un manguier. Le lendemain, Gasteil l'Acerbe a été découvert dans une rue étroite près du bazar, une hache rouillée logée dans le crâne. La garnison était sens dessus dessous, les galonnés s'agitaient comme des coqs de combat déplumés, des sentinelles occupaient tous les angles avec l'ordre de tirer à vue...

« En vain. Miriadec m'a expliqué qu'ils comptaient dépouiller la statue de ses pierreries, la fondre et l'ajouter à leur butin. Mais après l'assassinat de Raoul le Maboul et du Flingueur, Gasteil et lui s'étaient ravisés. Ils avaient sorti la statue de leur grotte secrète et l'avaient déposée en pleine nuit dans le bazar, avec l'espoir d'apaiser les Kal-Khis. Le plan aurait pu fonctionner, à un détail près...

– C'est-à-dire ? ai-je demandé.

– Il manquait le troisième œil de la déesse, une pierre noire censée ouvrir sur l'au-delà. Si, dans leur affolement, ni le caporal Gasteil ni lui ne l'avaient remarqué, m'a déclaré Miriadec, les Kal-Khis s'en sont aperçus, eux. La statue a disparu du bazar cette nuit-là et regagné comme par magie le temple au milieu des montagnes... mais Gasteil avait déjà reçu une hache dans le crâne pour sa peine. Miriadec a pu s'enfuir de la ruelle et entrer, titubant, dans la salle des gardes, avant de s'effondrer. Un mort en sursis, indiscutablement.

« Comme l'aube pointait, il a maudit le jour où il avait eu l'idée de piller le temple de Kal-Ramesh. Puis, alors que ses joues se décoloraient, il m'a parlé de la fortune en or et en pierreries cachée dans cette grotte au milieu des montagnes.

« Soldat Ignace, vous avez écouté ma triste histoire avec patience, m'a-t-il chuchoté, et je voudrais vous récompenser de votre gentillesse en vous indiquant le chemin qui mène au trésor, produit de mes crimes... Le mourant a soufflé ces mots d'une faible voix éraillée, si bien que je me suis écarté pour saisir le verre d'eau près de mon lit et lui donner à boire. Lorsque je me suis retourné, le sergent-chef Miriadec du 33e régiment avait rendu l'âme.

Ignace a levé sa chope et l'a vidée jusqu'à la dernière goutte avant de la poser d'un geste théâtral sur la table.

– Voilà donc, jeune Destoits, comment j'ai perdu une fortune en prenant un verre d'eau, a-t-il conclu. Depuis ce jour, pas une larme de ce liquide n'a franchi mes lèvres !

CHAPITRE 9

Durant la semaine qui a suivi, j'ai été plongé jusqu'au cou dans le travail. Je me levais tôt et rentrais tard chez moi, m'efforçant de rattraper mes deux journées d'absence. S'ajoutaient les demandes urgentes que des clients touchés par une forte tempête de neige adressaient aux charbonniers, couvreurs et chauffagistes.

Heureusement, mon bras était redevenu solide comme un roc et, de retour sur les toits, je sillonnais la ville, voltigeais de quartier en quartier – partout, en fait, hormis les quais de la Mitraille, où les gangs s'entredéchiraient à propos de la disparition du corps de Barbefauve Rodric et où des spectateurs innocents en subissaient les conséquences. Rue de Pékin, la boutique de l'Anguille et du Homard frits, tenue par la mère Sorlet, avait été saccagée dans une quasi-émeute. Puis deux entrepôts (l'un rempli de cognac, l'autre de résine) étaient partis en fumée. L'auberge du Cordage, un établissement miteux près du port, avait été fermée après qu'une petite altercation avait dégénéré en un combat de rue qui s'était soldé par une vingtaine d'arrestations.

Il ne s'écoulait pas un jour sans qu'Ignace le Borgne ait une nouvelle manchette horrible à annoncer lorsque je passais devant lui au carrefour. « Les Gars du puisard affrontent les Filous des attelages dans la guerre de Barbefauve ! », « Cogneur Colonec s'en prend à la clique des Sacs de farine ! », « De nouveaux saccages de tombes attisent la guerre de Barbefauve ! Lisez l'article ! ».

Personne n'était à l'abri, semblait-il. Depuis les impeccables jardins de la nécropole du Ponant dans le riche Val-Fleuri jusqu'au cimetière de la Bouilloire dans le pâté des Bicoques, l'histoire se répétait. Des sépultures étaient violées et les corps emportés. À chaque profanation, les blessures causées par la disparition de l'empereur se rouvraient et les affrontements reprenaient sur les quais. Pour ma part, j'évitais le secteur, en particulier le cimetière Adélaïde, où j'avais eu ma terrifiante hallucination (car j'étais désormais convaincu que c'en était une).

Pendant ce temps, le froid continuait à sévir. Les plaques de glace, les doigts et les orteils engourdis rendaient la voltige dangereuse ; j'ai donc décidé, le lendemain matin, de donner à Florian Pastor quelques astuces pour l'hiver sur le chemin de Saint-Jude. Nous sommes partis à six heures et demie dans le brouillard givrant. Le jour commençait tout juste à paraître.

– Si tu envisages une tuyautine, vérifie qu'il n'y a pas de givre sur les colliers, lui ai-je dit alors que nous atteignions l'extrémité d'une toiture à double pan et regardions au-dessous. S'il y en a, comme ici, ai-je poursuivi en pointant le doigt, la conduite est trop froide pour servir. Tes mains pourraient se coller au métal et tu t'arracherais la peau. En revanche, si le givre a fondu, c'est que de l'eau chaude a circulé dans la canalisation et l'a tiédie. Comme là-bas, ai-je dit en pointant de nouveau le doigt. Nous allons l'utiliser.

Florian a hoché la tête. Un peu plus loin, nous avons fait un nouvel arrêt. J'ai indiqué le toit d'en face.

– Méfie-toi du verglas, ai-je recommandé. Il se voit à peine, mais il est aussi glissant qu'une anguille. Par des matins comme celui-ci, avant de partir, n'oublie pas de mettre du sable ou du gravier dans la poche de ton pantalon. Ainsi, ai-je dit en plongeant la main dans ma propre poche, tu pourras en lancer à l'endroit où tu veux sauter, pour une meilleure adhérence.

– Ingénieux ! s'est exclamé Florian.

– Sois prévoyant, lui ai-je conseillé, tapotant la bosse qui gonflait le milieu de mon gilet de braconnier. Sois toujours prévoyant.

Nous sommes partis à six heures et demie dans le brouillard givrant.

Florian a froncé les sourcils.

– Qu'avez-vous donc là ? m'a-t-il demandé.

– De la sphaigne, ai-je répondu avec un grand sourire. Moi aussi, j'ai une livraison à faire à Saint-Jude.

Je voulais revoir la jolie jeune infirmière et, cette fois, j'avais un cadeau pour elle.

Nous sommes arrivés à l'hôpital dix minutes après. Il y régnait une activité plus intense que jamais : en effet, le temps glacial et brumeux (conjugué à l'omniprésente fumée du charbon, car les gens essayaient de ne pas prendre froid) provoquait d'innombrables cas de bronchite, de pleurésie, de pneumonie et autres maladies respiratoires. Les hauts plafonds voûtés répercutaient le vacarme insistant des toux rauques et des éternuements sonores.

– Je te rejoindrai plus tard, ai-je dit à Florian.

Il s'est dirigé vers la pharmacie, le colis de pastilles brevetées de Laboureur coincé sous son bras.

Je suis monté au deuxième étage et j'ai suivi le long couloir jusqu'à la petite pièce où l'infirmière Lucie Carmeline avait pansé ma blessure la semaine précédente. J'ai donné un coup léger au carreau dépoli et j'ai ouvert la porte sans attendre la réponse... ce que j'ai aussitôt regretté.

– Excusez-moi, ai-je bredouillé, devenant écarlate alors que je m'empressais de refermer la porte.

– Edgar, a dit une voix derrière moi.

J'ai fait volte-face : Lucie me souriait, ses beaux yeux verts pétillant d'espièglerie. Elle a incliné la tête.

– Vous semblez un peu pâle.

– Je... je viens de...

– Je vous comprends ! s'est exclamée Lucie en riant. Le perçage des furoncles de la vieille mère Belin n'est pas le spectacle le plus charmant du monde, a-t-elle commenté en plissant le nez. Voudriez-vous que j'examine votre bras ?

– Oui, si cela ne vous ennuie pas, ai-je répondu. Et je vous ai apporté ceci, ai-je ajouté, sortant la sphaigne de ma poche.

– Oh, des fleurs ! s'est écriée Lucie. Vous n'auriez pas dû.

Nous avons regardé tous deux le bouquet de verdure humide, meurtrie, qui pendait mollement dans ma main, et nous nous sommes esclaffés.

– C'est... ai-je commencé.

– Je sais ce que c'est, m'a-t-elle interrompu. La mousse miraculeuse de votre professeur.

Elle m'a conduit dans la pièce voisine et installé sur un siège à dossier bas.

– Bien, a-t-elle dit gaiement, si vous voulez relever votre manche, Edgar...

J'ai obéi. Lucie a pris mon bras et arqué un sourcil, tant elle était surprise.

– Vous êtes certain que c'était ce bras ? m'a-t-elle demandé.

– Mon bras gauche. Bien sûr.

Elle a secoué la tête, stupéfaite.

– Mais c'est incroyable. Il est totalement guéri.

– Vous devriez peut-être appliquer un cataplasme de mousse sur les furoncles de la vieille mère Belin, ai-je suggéré.

Elle a souri.

– Vous n'aviez nul besoin de revenir, au fond, n'est-ce pas ? a-t-elle dit.

– Oh, mais si ! ai-je répliqué avec ferveur. Je suis ici pour une affaire capitale.

– Vraiment ?

– Oui, ai-je assuré, fouillant dans la poche supérieure de mon gilet et en tirant deux billets noir et or. J'ai deux places pour demain soir au deuxième balcon de l'*Alhambra*. Flavie Jullian, le rossignol du Grand-Mont, est en tête d'affiche, ai-je ajouté.

Avant que Lucie puisse répondre, la porte commune au cabinet de consultation s'est brusquement ouverte et une surveillante générale au visage sévère a fait irruption dans la pièce.

– Venez vite, mademoiselle, a-t-elle ordonné, me dardant un regard dédaigneux alors qu'elle apercevait les billets de spectacle que j'avais apportés. Vous organiserez vos petites distractions plus tard. La situation est critique dans le hall d'entrée.

Lucie m'a lancé un sourire d'excuse et s'est hâtée derrière la surveillante, qui avait enfilé le couloir et recrutait d'autres infirmières au passage. Bientôt, une cohorte d'anges de la miséricorde en blouses blanches lui a emboîté le pas dans l'escalier en direction des voix agressives et des cris furieux montant du rez-de-chaussée.

Intrigué, j'ai suivi : quelle confusion au sein du vaste hall, d'habitude un modèle de discipline ! À première vue, il semblait qu'une moitié des gangs des quais de la Mitraille était affalée en monceaux désordonnés sur le sol dallé ou appuyée sur des bancs, soutenue par l'autre moitié.

Les Gars du puisard, leurs canotiers cabossés et leurs manteaux en peau d'ours tachés de sang, abreuvaient d'insultes les Preneurs de rats, qui leur rendaient la politesse, par-dessus les Sacripants de la ruelle des Fers étendus à plat ventre. Des Ricaneurs aux dents longues blessés menaçaient de leurs poings meurtris le gang du Suif, tandis que les Loustics de la menuiserie formaient un cercle protecteur autour de leur chef, qui gisait dans une mare de sang et se tenait la tête.

– Et je te le garantis, fulminait Cogneur Colonec, il y aura du grabuge si c'est toi. Tous les quais de la Mitraille partiront en guerre. Tu seras fichu !

À l'autre bout du hall, Léo Estocade, le nouveau chef des Gars du puisard, un grand gaillard brutal aux tatouages indigo et au crâne rasé, lui a répliqué :

– Si c'est moi ! Pour la énième fois, Colonec, c'est les déterreurs de cadavres qui ont fait le coup, pas nous ! Tu ne lis pas les journaux ?

Il a jeté un regard en coin au patron des Preneurs de rats.

– Je suppose que tu sais lire...

Cogneur Colonec a brandi un poing ensanglanté.

– Et qui sont-ils, au juste, ces déterreurs de cadavres ? Je note que ton cousin s'en sort très bien...

– Ouais, a confirmé Bart Zirtec, le chef de la clique des Sacs de farine, que plusieurs de ses fidèles aidaient à se relever. Il étale toujours son fric, le vieux Louis, mais je ne l'ai jamais vu se remuer pour le gagner.

– Prétends-tu que mon cousin est un déterreur de cadavres ? a demandé Léo Estocade, sa main en suspens au-dessus du couteau à sa ceinture. Hein ? Le traiterais-tu de déterreur de cadavres ?

– Il n'y a que la vérité qui fâche, a lancé une voix aiguë, du côté des bancs pleins à craquer.

C'était Oscar Lascar Pancrace des Sacripants de la ruelle des Fers, chef de second plan d'un gang de troisième ordre, qui aurait fait n'importe quoi pour semer la discorde entre les grands. Cogneur, Bart et Léo ne l'entendaient pas de cette oreille.

– La boucle, Pancrace ! ont-ils rétorqué en chœur.

Soudain, Cogneur Colonec a perdu patience. Il a levé son énorme poing.

– Finissons-en une fois pour toutes ! a-t-il vociféré. Les Preneurs de rats contre les Gars du puisard... ou devrais-je dire contre les vils et infâmes déterreurs de cadavres ?

– Allons-y, les gars ! a répliqué Léo Estocade, rassemblant ses hommes autour de lui. Enterrons le nouvel empereur...

– Que signifie cette pagaille ?

La voix impérieuse de la surveillante générale a fendu l'air comme une lame brûlante tranche de la graisse de porc. Derrière leur supérieure hiérarchique, les rangées d'infirmières observaient le chaos d'un œil impassible.

Aussitôt, les voyous se sont tournés dans sa direction. La surveillante les dominait de toute sa hauteur depuis l'escalier ; la flamme dansante de sa lanterne jetait des ombres sur sa lourde poitrine et son visage rond.

– Thibaud Colonec, a-t-elle appelé d'une voix de stentor, est-ce vous ?

Le chef des Preneurs de rats a avalé sa salive et desserré son poing d'un air penaud. Il a promené ses yeux sur le hall. Tous les autres ont fait de même.

– Oui, madame, a-t-il reconnu.

– Je ne vous ai pas veillé la moitié de la nuit comme un bébé malade pour que vous vous déchaîniez dans mon hôpital, a-t-elle déclaré, son regard d'acier rivé sur lui.

– Et vous, Léonard Estocade. Deux jambes cassées, je ne me trompe pas ?

Elle a froncé les sourcils.

– Que dirait votre pauvre chère mère ?

– Je ne sais pas, madame, a murmuré Léo. Excusez-moi, madame.

– Bartolomé Zirtec ! Oscar Pancrace. Laurent Pinaton...

Tour à tour, elle leur a fait honte.

– Que jamais je ne vous voie revenir à Saint-Jude, ce lieu de guérison, et vous comporter de manière aussi scandaleuse !

Aussi tremblants que des chiots après une correction, les voyous considéraient leurs bottes, les épaules tombantes et la tête basse. La surveillante générale a croisé les bras.

– Mes infirmières vont panser vos blessures et accueillir les cas les plus graves dans nos services. Tous les autres sont priés de partir... immédiatement.

Les infirmières, y compris Lucie Carmeline, se sont empressées d'évaluer la gravité des plaies et de les soigner sous le regard de la surveillante. Pendant ce temps, Cogneur, Léo et le reste des voyous indemnes quittaient l'hôpital sans tambour ni trompette, en marmonnant dans leur barbe. De toute évidence, l'affaire n'était pas réglée.

Je me suis alors aperçu que j'avais gardé les deux billets de spectacle à la main, et j'ai parcouru la salle des yeux à la recherche de Lucie, car elle n'avait pas encore répondu à ma proposition. Ce que j'ai vu a chassé de mon esprit toute idée de soirée romantique au music-hall...

À grandes enjambées, un jeune médecin traversait la pièce, un stéthoscope dans la main. Il portait une longue cape noire ornée de fourrure d'ocelot et un haut-de-forme chic avec un ruban rouge foncé. Comme je le regardais se frayer un chemin parmi la foule, les paroles qu'avait prononcées Adnette Gustain durant cette nuit cauchemardesque me sont revenues : « Je gagerais ma dernière piécette qu'il est un de ces déterreurs… »

CHAPITRE 10

Le médecin s'est dirigé à grands pas vers la sortie, ses talons ferrés résonnant sur le marbre poli. Je l'ai suivi de loin. Au moment où j'atteignais la porte, j'ai regardé au bas des marches et je l'ai vu grimper dans un élégant cabriolet qu'un garçon de salle avait amené depuis l'aire de stationnement.

La voiture était tirée par un beau cheval gris, et j'ai remarqué la profusion de cuivres étincelants attachés sur le front de l'animal, à l'arrière de ses oreilles et à ses épaules, ainsi que la demi-douzaine d'autres suspendus à sa martingale. Nous vivions une époque où les cuivres des chevaux constituaient d'ordinaire une simple décoration, mais il y avait encore des gens pour croire que ces amulettes détournaient le « mauvais œil ».

Des ronds de lumière flou, diffusés par les deux superbes lanternes en cuivre fixées à l'avant du cabriolet, éclairaient le trottoir. Le médecin a glissé une pièce d'argent au garçon de salle et s'est assis sur le siège. Il a pris les rênes, auxquelles il a donné une légère secousse. Le cheval a henni, deux longues volutes de vapeur s'échappant de ses naseaux, et, avec une embardée, il s'est éloigné au trot dans la rue étroite, le martèlement de ses sabots et le fracas des roues du cabriolet renvoyés par les bâtiments de chaque côté.

Je me suis lancé à sa poursuite. J'ai dévalé l'escalier de Saint-Jude et couru sur le trottoir jusqu'à ce que se présente un tuyau bien placé qui m'offrait un accès simple et direct aux toitures. Par chance, un brouillard de plus en plus épais avait ralenti la circulation et, tandis que je me hissais sur le toit en tôle ondulée, le cabriolet atteignait à peine le carrefour au bout de la rue. Alors qu'il virait à gauche, ses deux grosses lanternes ont brillé à travers le brouillard comme des halos de saints. Je me suis avancé avec précaution sur un long parapet en brique, puis j'ai coupé à angle droit sur le faîte d'un toit pentu, si bien que je me suis trouvé juste au-dessus de la voiture lorsqu'elle est arrivée au croisement d'après.

Tout autour de moi, le brouillard givrant ondoyait, aussi jaune et sulfureux qu'un breuvage de sorcière. Il adoucissait les angles des édifices, brouillait les toits et masquait les cheminées. Il troublait les lumières et assourdissait chaque bruit. Il m'engourdissait les doigts, me piquait les yeux et laissait sur ma langue un goût métallique exécrable. La température restait inférieure à zéro, il me fallait donc observer le conseil donné plus tôt à Florian maintenant que je voltigeais aux trousses du médecin, un œil sur les corniches et les dénivellations traîtresses, l'autre sur ces deux lanternes floues loin, loin en contrebas.

Au carrefour de la rue Excellens et de la ruelle Mal-Blanc, vu les mauvaises conditions, je n'ai pas osé tenter un saut qui ne m'aurait posé aucun problème en temps normal. J'ai fait un tour rapide des possibilités. Il y avait un pignon à degrés sur ma gauche, mais il m'aurait écarté de mon itinéraire ; il y avait une cheminée carrée sur ma droite, mais je voyais que les marches en U noyées dans le mortier étaient dangereusement rouillées. Optant pour une troisième solution, je suis descendu sur un étroit rebord et, les paumes et le dos plaqués contre le mur, je l'ai suivi jusqu'à l'échafaudage que j'avais remarqué.

Les manœuvres liées aux échafaudages portent l'épithète de « pendu » : il existe l'ascension du pendu, la descente du pendu, l'arc du pendu et le crochet du pendu. Parfois, quand les ouvriers utilisaient des poutrelles en bois pourri ou qu'ils ne nouaient pas bien les cordes, les noms sinistres de ces manœuvres prenaient tout leur sens. Patrick Jonse, un envoyé tic-tac originaire de l'autre côté de la ville, s'était tué un mois plus tôt en tombant d'un échafaudage défectueux.

J'ai gagné avec prudence la plate-forme supérieure, veillant à ne pas glisser sur le bois gelé. Il était ensuite très simple de faire pivoter l'une des planches de sorte qu'elle vienne s'appuyer sur le toit d'en face. Je m'y suis avancé tel un équilibriste et je suis arrivé à bon port en me félicitant d'avoir inventé une nouvelle manœuvre.

Je l'ai appelée le pont du pendu.

Un coup d'œil vers le sol m'a confirmé que les lanternes du cabriolet demeuraient visibles au-dessous de moi : elles s'engageaient à gauche dans une rue plus large. Tandis que la voiture et son mystérieux occupant progressaient dans la ville embrumée, je les ai suivis par les hauteurs sans me laisser distancer ; enfin, comme j'atteignais le toit strié bien connu de l'entrepôt de thé Montsoleil, j'ai constaté que nous étions parvenus à la promenade des Belvédères.

Une minute plus tard, le découragement m'a saisi. Nous entrions sur les quais de la Mitraille !

À ma droite se dressait la façade du castel Adélaïde, la fenêtre éclairée chez Adnette Gustain vaporeuse dans l'épais brouillard. Le cabriolet s'est arrêté au pied de l'immeuble, et j'ai vu le médecin sauter à terre, se draper dans sa cape et attacher son beau cheval de trait au poteau d'un réverbère. Je me suis demandé si Adnette l'observait de son côté.

Protégé par le brouillard jaune tourbillonnant qui s'enroulait autour de moi comme un linceul des pompes funèbres, j'ai quitté le toit de l'entrepôt et j'ai suivi le médecin. Il a traversé la rue et franchi la voûte en fer forgé du cimetière. J'ai hésité, mon cœur battant à éclater dans ma poitrine.

Pouvais-je rassembler tout mon courage et me risquer une troisième fois dans cet endroit épouvantable ? me suis-je interrogé. Le médecin allait-il rejoindre ses complices ou retournait-il simplement sur les lieux de son crime macabre ?

Il n'y avait qu'une seule manière de le savoir. Serrant les dents, je me suis forcé à pénétrer de nouveau dans le cimetière Adélaïde.

J'ai couru d'if en if, pour éviter que le médecin ou tout autre visiteur ne me voie. J'ai entendu les cloches de Sainte-Angèle sonner à une faible distance. Il était midi – même si, en ce qui concernait la visibilité, il aurait aussi bien pu être minuit. Au fond du cimetière, j'ai cru que le médecin allait s'apercevoir de ma présence lorsqu'il a brusquement viré, mais au lieu de revenir sur ses pas, il s'est glissé par un interstice dans la clôture (l'un des pieux manquait), puis a dégringolé la pente raide de l'autre côté.

J'ai attendu une minute que le bruit de sa course désordonnée s'apaise et j'ai suivi ses traces. Au bas de la pente, j'ai regardé autour de moi, essayant de voir quelle direction il avait prise. Ses empreintes traversaient la boue humide et disparaissaient ensuite vers la grande ouverture du puisard de la Mitraille.

La tête courbée, j'ai franchi la ligne de marée haute. La mer s'était retirée et je voyais les silhouettes indistinctes des canardeaux qui fouillaient dans la vase. Des amateurs de rixes et des hommes en longs tabliers rôdaient sur les quais, profitant du brouillard pour chercher des marchandises laissées sans surveillance ; et, au loin, j'ai distingué la lampe éclatante d'un naufrageur qui essayait d'attirer une barge vers les étendues boueuses. À quelques mètres de moi, le médecin se tenait penché près du tunnel d'égout, la tête et les épaules enveloppées par la pénombre. Je me suis accroupi derrière un cageot renversé.

Le médecin examinait ce qui, de prime abord, semblait être un arbre tombé que le flux et le reflux avaient enfoui dans la boue, puis découvert. Mais alors que je le scrutais dans le demi-jour, j'ai vu qu'il s'agissait en fait d'un bateau rudimentaire ou d'un canot, creusé dans un tronc unique. Le médecin l'a inspecté depuis la proue carrée jusqu'à la poupe grossièrement taillée qui, sur sa face intérieure, portait des marques révélatrices, comme imprimées au fer rouge dans le grain du bois.

Je dois avouer que la bile m'est montée dans la gorge en voyant ce que je savais être les traces de morsures de la lamproie à écailles noires elle-même – cet effroyable serpent de mer que j'avais combattu dans le port. Enfin, le médecin a paru satisfait. Il s'est relevé et a remonté les étendues boueuses.

Le devançant, j'ai gravi la berge à toute vitesse et sauté par-dessus la clôture. J'ai retraversé le cimetière en hâte, osant à peine regarder les tombes alentour. Une certitude, me suis-je dit alors que j'arrivais au portail, presque dissimulé par le brouillard givrant : il n'était plus question de voltiger à la poursuite du cabriolet. Lorsque le mystérieux médecin reviendrait à sa belle voiture et tirerait sur les rênes, un passager l'accompagnerait dans son trajet.

Arrivé au cabriolet, je me suis baissé vivement et j'ai utilisé un procédé ingénieux emprunté aux gamins sans logis du Grand-Mont : le rase-pavés, qui consiste à saisir les suspensions du véhicule choisi et à se cramponner de toutes ses forces. Dans certaines rues défoncées des mauvais quartiers, c'est courir à sa perte, mais sur les chaussées lisses du Grand-Mont et de la route des Carrosses, l'expérience peut être grisante, croyez-moi.

M'accrochant aux suspensions incurvées derrière l'essieu, j'ai coincé mes orteils dans un anneau métallique du châssis et je me suis installé au mieux. Quelques instants plus tard, j'ai senti la voiture osciller alors que son conducteur y grimpait.

Le cabriolet a fait un bond en avant, dérapé à l'angle du castel Adélaïde et dévalé la promenade des Belvédères. J'ai jeté un coup d'œil vers l'asphalte bosselé gris anthracite qui défilait, flou, au-dessous de moi. Je m'agrippais aussi solidement qu'une patelle à

J'ai coincé mes orteils dans un anneau métallique du châssis.

la coque d'une barge et m'efforçais de comprendre dans quelle direction nous allions. Nous avons tourné à gauche, puis encore à gauche, puis à droite... et en quelques instants, j'ai perdu tout sens de l'orientation. À un certain moment, j'ai cru percevoir une odeur de châtaignes grillant sur un brasero, ce qui incitait à penser que nous traversions le quartier des théâtres. Un peu après, il m'a semblé entendre la grosse cloche de l'Archer sonner l'heure. Si je ne me trompais pas, nous roulions vers le nord.

Trois kilomètres et cinquante douloureux nids-de-poule plus loin, le cabriolet a franchi avec fracas une grille métallique et s'est engagé sur les plaques d'une cour dallée. Derrière moi, j'ai entendu le grincement d'un lourd portail qui se refermait et le cliquetis de clés qui tournaient dans plusieurs serrures. Le médecin est descendu de voiture et j'ai vu ses bottes boueuses se diriger vers une porte d'entrée noire.

Avec précaution, j'ai décoincé mes pieds et je me suis laissé tomber sur le sol. Alors que j'observais entre les rayons de la roue du cabriolet, de gros verrous ont coulissé derrière la porte à laquelle frappait le médecin ; un magnifique hôtel particulier s'offrait à mes yeux, protégé de la rue par une cour à hauts murs d'une taille impressionnante, où trônait une vaste fontaine.

Comme j'observais toujours, la porte s'est soudain ouverte et deux énormes chiens de garde ont surgi, des dogues allemands, vu leur aspect. En deux grands bonds, ils étaient sous le cabriolet, leurs mâchoires baveuses à quelques centimètres de mon visage tandis que je leur opposais ma canne-épée.

– Walter ! Wolfram ! Au pied ! a ordonné une voix forte avant qu'un bras s'avance sous le cabriolet, m'attrape par le col et me tire de ma cachette.

J'ai levé les yeux et je me suis trouvé face au canon d'un fusil de chasse de gros calibre.

– Je crois que vous me devez des explications, a déclaré froidement le médecin.

CHAPITRE 11

J e me suis redressé lentement, j'ai fixé ma canne-
épée au bas de mon gilet et levé les mains au-
dessus de ma tête. Le médecin, flanqué par les deux
dogues effrayants, m'a fait traverser la cour et entrer
dans la maison sous la menace du fusil. Laissant les
chiens déambuler dehors, il a refermé la lourde porte
d'entrée et entrepris de pousser les différents verrous,
supérieur, médian et inférieur.

– Vous êtes un envoyé tic-tac, vu votre mise, a-t-il
affirmé, son fusil de chasse toujours pointé, le doigt
sur la détente. Pourquoi donc étiez-vous caché sous
les roues de mon cabriolet ?

– Je faisais juste du rase-pavés, m'sieur, ai-je commencé ingénument. Je ne pensais pas à mal, m'sieur,
promis juré.

– Ne jouez pas la comédie, a déclaré le médecin
d'un ton posé. Vous n'avez rien d'un gamin sans logis

du Grand-Mont. Qui êtes-vous ? Trempez-vous dans ces déterrages de cadavres ? Répondez-moi, mon garçon !

– Non, monsieur, ai-je protesté avec vigueur, malgré la menace dans son regard et le fusil braqué sur ma poitrine. Je vous ai suivi parce qu'une de mes amies m'a dit qu'elle vous avait vu rôder dans le cimetière Adélaïde. J'ai pensé que vous pouviez être, vous, un déterreur de cadavres...

J'ai soufflé un instant.

– Je m'appelle Edgar Destoits. Je suis en effet envoyé tic-tac.

J'ai sorti une carte de visite de mon gilet et je la lui ai présentée.

– Le professeur Rosier-Desgranges de l'université peut répondre de moi, monsieur. Il vous garantira que je ne suis pas un déterreur de cadavres...

Le médecin a baissé son fusil et, avec un soupir, l'a placé contre une table en acajou du vestibule. Ôtant sa cape et son chapeau, il a eu un sourire triste avant de me rendre ma carte.

– Vous savez, monsieur Destoits, j'avais presque l'espoir que vous apparteniez à cette bande de déter-reurs. Au moins, ce serait une explication plus plausible que l'autre possibilité...

– L'autre possibilité ?

– Des morts qui reprennent vie, a dit le médecin, qui jaillissent de leur tombe...

– C'est ce que j'ai vu ! me suis-je exclamé. Dans le cimetière Adélaïde !

– Vous avez assisté à une telle scène ? a demandé le médecin avec une fascination consternée. Venez, monsieur Destoits, a-t-il ajouté en plissant les yeux d'un air songeur, il faut que je vous fasse connaître quelqu'un.

Le médecin paraissait sincèrement inquiet, et son attitude pressante et son regard tourmenté m'inspiraient confiance. Il m'a invité à le suivre.

Nous avons traversé le vaste vestibule lambrissé de chêne, dont le parquet à lattes cirées disposées en zigzag grinçait sous nos pieds. Il faisait froid et je voyais mon souffle dans la lumière grise qui tombait à l'oblique par les petites fenêtres hautes. Hormis la table en acajou sur laquelle le médecin avait posé sa cape et son chapeau, ainsi qu'une aquarelle encadrée de l'extérieur de la maison accrochée au mur voisin, le vestibule était nu. Nos pas résonnaient dans la cage d'escalier et sous le plafond.

À l'extrémité du vestibule, le médecin s'est arrêté devant la deuxième des trois portes et a tiré une clé de sa poche. Il l'a enfoncée dans la serrure et l'a tournée.

– Entrez, Edgar Destoits, a dit le médecin tandis qu'il poussait le battant et s'effaçait pour me laisser passer.

Il m'a indiqué les fauteuils et les sofas rebondis groupés autour d'un feu clair.

– Et asseyez-vous.

Comparé au vestibule dépouillé, le salon était une salle à trésors luxueusement décorée d'objets qui semblaient venir d'Orient. D'épais tapis poilus aux rouges, orange et bleu-vert somptueux recouvraient le sol tandis que, juste devant le feu crépitant, s'étendait une peau de tigre, l'immense gueule du félin figée dans un éternel rugissement muet. Des tapisseries de soie encadrées représentaient des paysages de jungle, un lustre en cuivre cannelé pendait à une chaîne au centre du plafond et un paravent articulé à quatre panneaux se dressait à côté de la cheminée, elle-même encombrée de bibelots : des boîtes en cristal et en ivoire aux arêtes dorées, des chandeliers en argent et un éléphant en ébène porteur d'encens, des volutes de fumée odorante s'échappant du siège à pompons sur son dos.

Une grande peinture à l'huile au cadre en or ouvragé ornait le mur au-dessus de la cheminée. C'était le portrait d'une belle femme en tenue blanche qui, de nuit, une lanterne à la main, soignait un soldat blessé dans un pavillon d'hôpital. Comme je m'installais sur une méridienne en cuir devant le feu et que le médecin prenait place dans l'une des deux grandes bergères, je me suis aperçu qu'une troisième personne était présente dans la pièce.

Debout, dos à nous, un vieux monsieur voûté, avec un halo de fins cheveux blancs qui formaient des mèches sur ses épaules, regardait dehors à travers les barreaux des hautes fenêtres en saillie.

– Père, a dit le médecin d'une voix douce et apaisante. C'était exactement ce que tu soupçonnais. Je l'ai vu de mes propres yeux : un canot rudimentaire échoué dans la boue, qui apparaît à marée basse juste au pied des docks de la Darsène, près du puisard de la Mitraille.

Le vieux monsieur a émis une plainte sourde.

– Et je n'ai pas fini, Père. Voici Edgar Destoits. Cet envoyé tic-tac affirme avoir assisté à une résurrection…

Le vieil homme a étouffé une exclamation. Comme il passait ses doigts dans sa chevelure ébouriffée, j'ai vu que ses mains tremblaient. Lentement, il s'est tourné vers moi.

– Voici mon père, sir Alfred de Valogne, monsieur Destoits, et je suis le docteur Laurent de Valogne, a dit le jeune médecin. Maintenant, vous aurez peut-être l'amabilité de nous raconter votre histoire.

Sir Alfred s'est approché de la seconde bergère et s'y est effondré, plongeant dans les miens ses yeux enfoncés. J'ai remué sur mon siège, mal à l'aise, et j'ai commencé mon récit. J'ai décrit ma rencontre avec Cogneur Colonec (notant que le jeune médecin fronçait les sourcils à ce nom devenu célèbre) et expliqué que mon ami Florian Pastor et moi avions été invités aux funérailles de l'empereur, le chef de gang Barbefauve Rodric. Quand je suis arrivé à l'épisode où, lors de mon retour accidentel dans le cimetière, j'avais vu l'empereur sortir de sa tombe, et le père et le fils étaient cloués sur place.

– Par tous les saints ! s'est exclamé le vieil homme. Il s'est levé d'un bond, le regard affolé, ses mains maigres tremblant comme des feuilles.

– Alors c'est vrai, Laurent, mon pire cauchemar est devenu réalité !

– Calme-toi, Père, s'il te plaît, a dit le jeune médecin. Pense à ton cœur. Je t'en prie, rassieds-toi pendant que je vais te chercher ta potion.

Le médecin a quitté la pièce en hâte tandis que son père retombait dans le fauteuil. Même à la lumière dorée des flammes, son visage paraissait blême, terreux.

– Je me suis mêlé à des affaires qui dépassent l'entendement humain, a-t-il dit. J'ai touché à l'essence même de la vie et de la mort, et aujourd'hui je crains de devoir expier…

Il s'est tu. J'ai remarqué le crépitement sifflant du charbon qui brûlait dans l'âtre et le tic-tac solennel d'une pendule quelque part derrière moi. Le visage du vieil homme se tordait et se convulsait alors que les souvenirs lui revenaient.

– Il y a de nombreuses années, dans ma jeunesse, j'ai été chirurgien des armées en Orient, dans le Madari Kush. Nous étions une famille noble au bord de la ruine et mon père n'avait pu me procurer que cette médiocre place dans un obscur régiment. Néanmoins, je ne m'en désolais pas du tout. J'étais jeune, impétueux et rempli de l'arrogance propre à mon âge.

À mesure qu'il parlait, sa voix faiblissait, et je devais me pencher de plus en plus sur la méridienne pour bien entendre ce qu'il disait.

– On nous appelait le 33ᵉ régiment d'infanterie, mais l'on aurait eu du mal à trouver un tel ramassis de gredins et de bandits malfaisants de ce côté de la frontière nord-ouest.

J'ai eu un coup au cœur. Le 33ᵉ régiment ? C'était celui-là même qu'avait cité Ignace le Borgne...

– Les officiers ne valaient pas mieux, a continué sir Alfred. Trop occupés à mener la grande vie pour se soucier des hommes dont ils avaient la charge. La caserne de la garnison était une honte et l'hôpital encore pire. Mais alors, Sonia est arrivée avec ses anges de la miséricorde...

Le vieil homme a regardé le portrait au-dessus de la cheminée, et ses yeux se sont voilés de larmes.

– Ensemble, nous avons transformé l'hôpital, sauvé des centaines de vies... et nous sommes tombés amoureux.

Il a soupiré, l'expression rêveuse dans ses yeux s'est troublée.

– Et ensuite, a-t-il déclaré, j'ai écouté l'histoire d'un vétéran...

Dehors, le vent s'était levé. Je l'entendais siffler dans les arbres et agiter les feuilles mortes qui jonchaient encore le sol. Il envahissait la cheminée, mugissait doucement et poussait la suie qui venait grésiller dans les flammes en contrebas. Comme sir Alfred poursuivait son récit, j'ai senti les poils de ma nuque se hérisser et, malgré le feu, un frisson glacé m'a parcouru l'échine.

– Ce soldat était présent à l'agonie du plus odieux vaurien du 33e régiment, dont les noirs desseins avaient provoqué une rébellion dans les montagnes et entraîné l'envoi de six régiments chargés d'anéantir les Kal-Khis, secte d'assassins tristement célèbre, et de détruire leur temple. Le sergent-chef Miriadec avait avoué que lui et les trois caporaux de son unité avaient caché une fortune dans une grotte au milieu des montagnes, mais il était mort avant d'avoir pu en révéler l'emplacement, emportant son secret dans sa tombe...

Sir Alfred a observé un silence pendant qu'il se rappelait l'histoire d'Ignace le Borgne – celle-là même que le mutilé de guerre m'avait racontée tant d'années plus tard, à *Côtelette et Gargoulette*. L'histoire d'Ignace le Borgne s'était terminée avec le verre d'eau, mais le récit de sir Alfred, lui, continuait.

– Une fortune, monsieur Destoits. Une fortune, a répété le vieil homme d'une voix rauque, qui allait se perdre là-bas dans cette contrée déserte, alors que quelqu'un comme moi pouvait en faire si bon usage. Je savais que je devais agir, mais comment ? Il a indiqué de sa main noueuse les objets qui décoraient le salon.

– J'ai toujours été un peu collectionneur, a enchaîné sir Alfred, même à cette époque lointaine, et c'est ainsi que j'ai acquis la seule épée restante de la diabolique déesse Kal-Ramesh. Pour venger les meurtres du sergent-chef et de ses trois caporaux, le haut commandement était enfin passé à l'action. Le régiment entier avait reçu l'ordre d'assaillir le temple fortifié des Kal-Khis, ce qui fut fait. Un boulet de canon a frappé la statue en or et l'a disloquée. Un artilleur a recueilli l'ultime fragment, une main qui serrait une épée en or, et me l'a vendu pour trois shillings. Trois shillings ! C'était le plus gros investissement que j'avais jamais fait.

« Vous voyez, monsieur Destoits, selon les assassins Kal-Khis, les six épées de la déesse diabolique donnaient chacune un pouvoir extraordinaire. La vitesse, l'invisibilité, la force, la métamorphose, la prescience et... la vie.

– La vie ? l'ai-je relancé.

– La vie. La sixième épée (celle que j'avais eu la chance d'acheter à ce soldat qui ne se doutait de rien) ramenait les membres de la secte à la vie. La rumeur, du moins, le disait. Incroyable, certes, monsieur Destoits. Et pourtant, nous savons, vous et moi, que de telles choses sont bel et bien possibles, n'est-ce pas ?

Ma gorge s'est nouée.

– Au cœur de la nuit, j'ai emporté l'épée dans le cimetière militaire hors de la petite ville poussiéreuse où notre garnison séjournait, je me suis arrêté devant les simples pierres tombales du sergent-chef et de ses caporaux assassinés, j'ai enfoncé l'arme dans la terre sèche de la première, puis de la deuxième, de la troisième, de la quatrième... et rien ne s'est passé. Au début. Puis, tandis que je reprenais l'épée diabolique avec sa main en or tranchée au poignet, j'ai entendu ces bruits. Des grattements et des raclements. Légers d'abord, mais de plus en plus puissants, jusqu'à ce que... les soldats de l'unité jaillissent tour à tour du sol.

J'ai frémi alors que le souvenir de Barbefauve Rodric me submergeait.

– À cet instant, ô horreur, il m'est apparu que leur enterrement hâtif datait de quatre semaines et qu'en outre, les instruments de leur mort (la hache, la corde, le pieu) n'avaient pas été retirés. Ce n'était plus la peine à présent. Mettant de côté ma répugnance, je leur ai ordonné de se lever. Ils m'ont obéi, et leur docilité m'a rempli d'un frisson enthousiaste.

« Conduisez-moi au trésor, leur ai-je dit.

« Sans prononcer un mot, les morts vivants se sont rangés en file indienne et mis en route, traînant les pieds. Ma lanterne à la main, je leur ai emboîté le pas. Nous avons marché pendant plus d'une heure dans

Les soldats de l'unité ont jailli tour à tour du sol.

l'aride paysage rocheux du Madari Kush, laissant au loin la garnison endormie, et nous sommes enfin arrivés près d'une colline pointue, sous l'étrange lumière de la demi-lune. Ils ont aussitôt gravi la pente raide jusqu'à mi-hauteur et se sont arrêtés sur une étroite corniche.

« Là, en silence, tous quatre ont refait les gestes qu'ils avaient dû effectuer quand ils vivaient encore. Tholomet a retiré un amas de broussailles mortes ; Gasteil et Lancier se sont avancés pour déplacer une énorme dalle rocheuse qui dissimulait l'entrée exiguë d'une grotte. Le sergent-chef Miriadec s'y est glissé le premier. Je l'ai suivi, levant la lanterne pour éclairer l'intérieur.

« L'endroit était sec et poussiéreux, les parois piquetées, le sol couvert d'un sable meuble et rougeâtre. Un étendard du régiment était appuyé contre le fond de la grotte. À côté, parmi les ombres, il y avait quatre énormes coffres. Le sergent-chef Miriadec s'est accroupi et a pénétré dans le recoin ténébreux. Peu après, avec force crissements et frottements, il a tiré l'un des coffres en bois cerclés de fer rouillé jusqu'au milieu de la grotte.

« Dans mon exaltation, j'ai empoigné l'épée de Kal-Ramesh à ma ceinture et forcé le couvercle. Quel contenu splendide ! Si surpris que j'ai lâché mon arme, je suis tombé à genoux, le souffle coupé. Malgré la pénombre, je voyais que le coffre débordait de trésors qui dépassaient mes espérances les plus folles : des diamants, des rubis et des émeraudes étincelaient dans le demi-jour, ainsi qu'un monceau d'or tel que je n'aurais jamais cru en contempler...

« Emportez-le dehors, ai-je ordonné.

« Sans hésiter, Miriadec a hissé le coffre sur son épaule et, zigzaguant, l'a sorti de la grotte. Nous l'avons accompagné.

« Allez chercher le reste ! ai-je dit aux morts vivants.

« Ils sont retournés dans la grotte et je comptais en faire autant lorsqu'un curieux grondement a retenti et que le sol sous mes pieds s'est mis à trembler. J'avais saisi d'instinct le coffre aux trésors et, le serrant de toutes mes forces, je me suis effondré. De larges crevasses se sont ouvertes dans la terre alors que les collines elles-mêmes semblaient vaciller et vibrer de dégoût devant mon crime. J'en étais réduit à me cramponner et à espérer que je survivrais tandis que les pierres glissaient, que les rochers roulaient et que de suffocants nuages de sable s'élevaient...

Le vieux médecin a secoué la tête avec lassitude.

– De l'avis général, ce séisme n'a pas été considérable. Mais en cette nuit lugubre, surnaturelle, j'ai eu l'impression que l'enfer s'apprêtait à m'engloutir pour me punir de ma mauvaise action. Quand le sol a cessé de trembler et que l'atmosphère s'est dégagée, j'ai vu qu'un gigantesque éboulis bloquait désormais l'entrée de la grotte. Les quatre ressuscités du 33e régiment étaient prisonniers à l'intérieur, tout comme (je n'y ai pensé qu'après) la sixième épée. Mais je m'en moquais. En ce qui me concernait, ils pouvaient rester là mille ans. Moi, j'étais vivant et plus riche que dans mes rêves les plus fous !

« J'ai quitté l'armée, épousé ma chère Sonia et regagné notre grande ville, où j'ai pu rétablir la fortune de la famille de Valogne. Et ce n'est pas tout, a déclaré fièrement sir Alfred. Avec lady Sonia, j'ai employé ma richesse à faire de l'hôpital Saint-Jude l'établissement modèle qu'il est aujourd'hui. Patrimoine dont mon fils héritera un jour…

– Mais l'histoire ne se termine pas tout à fait ainsi, Père, dis-moi ?

J'ai levé la tête. Le jeune médecin se tenait sur le seuil, le visage aussi blême et terreux que celui du vieil homme.

– Ce qu'un séisme peut enfouir, un autre peut l'exhumer, a-t-il déclaré. Guère étonnant que les nouvelles de secousses sismiques en Orient de l'automne dernier t'aient rempli d'angoisse. Puis les mystérieuses apparitions sur les docks près du puisard de la Mitraille et, soudain, ces innombrables déterrages de cadavres. À chacun d'eux, tu rajoutais une serrure, un verrou, une chaîne à la porte, au point que tu es aussi cloîtré, ici dans ta vaste demeure, que ces maudites âmes l'ont été pendant toutes ces années…

– Arrête ! Arrête ! Arrête ! a crié le vieil homme, arrachant ses cheveux blancs. Cette idée m'est insupportable !

Ayant vu Barbefauve Rodric, je savais précisément ce qu'il éprouvait.

– Le sergent-chef et ses caporaux ont quitté l'Orient et ils sont là, en ville, a repris le jeune médecin. J'en ai la certitude maintenant. Et ils ont levé une armée contre nous… Une légion des morts !

– Contre nous ? a chuchoté le vieil homme. Oh, non, c'est moi seul qu'ils visent. Ils sont revenus se venger !

À cet instant, dans la cour de l'hôtel particulier, le long hurlement de détresse d'un dogue allemand a résonné.

CHAPITRE 12

J e me suis levé d'un bond et précipité vers les fenêtres en même temps que sir Alfred. Dehors, il faisait aussi noir que dans la cale d'un cargo à charbon. Pas une étoile. Pas de lune. À la lumière que répandait le salon, je voyais que le brouillard s'était épaissi une fois de plus après la tombée de la nuit et qu'il décrivait des cercles et des spirales dans la cour.

Puis, alors que nous guettions, la dalle près de la fontaine s'est soulevée lentement, comme la trappe d'un grenier à foin. Les hurlements des dogues se sont intensifiés, ainsi que leurs grattements de griffes acharnés contre la porte.

J'ai entendu sir Alfred murmurer :

– Ils viennent me chercher…

Tel un diable à ressort, un visage hideux est apparu de dessous la dalle, tête squelettique sans lèvres au sourire insensé. Avec lenteur, la silhouette s'est hissée hors du tuyau d'égout qui passait là. Lui a succédé un nouveau personnage, borgne et édenté, les cheveux en nid de corbeau hérissé noir et gris. Puis un autre. Et un autre encore…

J'ai reculé, chancelant, au moment où le premier d'entre eux brandissait un poing squelettique et se mettait à tambouriner contre la fenêtre. Les autres l'ont imité et les coups ont résonné dans la pièce, de plus en plus vigoureux, jusqu'à ce que la vitre se brise brusquement et projette à l'intérieur une dangereuse pluie d'éclats de verre étincelants. Un courant d'air froid a envahi le salon, la puanteur des égouts et une infecte odeur de pourriture nous ont assaillis.

Le premier des horribles cadavres a émis un grognement, refermé ses doigts osseux sur les barreaux d'une fenêtre et tiré de toutes ses forces. Ses camarades ont fait de même pendant que d'autres arrivaient, si bien que le moindre barreau s'est trouvé enserré par une main cadavérique qui le secouait avec une frénésie abominable.

Soudain, il y a eu un éclair et une détonation m'a déchiré les tympans. Devant moi, la tête de l'un des corps vacillants a explosé, cervelle, dents et os mêlés. Un second coup de feu a retenti, et les côtes d'un squelette voisin se sont fracassées telles les entrailles d'un piano. J'ai pivoté sur mes talons : au milieu de la pièce, le jeune médecin, le regard fou, était occupé à recharger le fusil de chasse fumant. L'odeur irritante de la poudre flottait dans l'air.

Derrière moi se sont fait entendre un *crac* ! et un bruit de bois fendu. Me retournant, j'ai vu l'assemblage de barreaux tout entier se détacher du cadre de la fenêtre, la légion des morts (le corps étêté et le squelette éventré aussi actifs que les autres) imprimer une énorme poussée et jeter la grille à terre avec fracas. Les créatures ont franchi le rebord de la fenêtre et, le verre crissant sous leurs pieds, ont déferlé dans la pièce.

Le médecin a tiré de nouveau. Une fois, deux fois, les balles pulvérisant la figure de l'un et trouant l'épaule d'un autre.

– Vite ! a-t-il soufflé.

Il a saisi son père, qui restait cloué sur place, la bouche ouverte et le visage baigné de larmes, et l'a entraîné vers la porte.

– Monsieur Destoits…

Nous avons tous trois passé le seuil. Le médecin a fait volte-face, tourné la clé dans la serrure et poussé le verrou.

– Par ici, m'a-t-il indiqué.

Nous nous sommes engouffrés dans le couloir de l'autre côté du vestibule lambrissé. Derrière nous, des chocs et des craquements retentissaient tandis que la légion se ruait contre la porte. J'ai lancé un regard en arrière et aperçu un éclat métallique : le fer d'une hache perforait le panneau de chêne. Au fond du couloir, le médecin a déverrouillé une porte qui donnait sur une vaste cuisine. Nous nous y sommes précipités mais un personnage indistinct est apparu, recroquevillé sur une grande table en pin près du fourneau. La fenêtre derrière lui était cassée. Et, comme il levait la tête, je me suis trouvé face à mon pire cauchemar.

– Barbefauve Rodric, ai-je soufflé.

Il a levé la main que le feu n'avait pas brûlée et, ses doigts sales tendus, s'est dirigé vers nous en titubant. Soudain, je me suis rendu compte que Barbefauve n'était pas seul. De toutes parts, d'autres silhouettes sont sorties des ombres – un régiment de déterrés. Il y avait une femme gonflée, à la peau bleue et grise, et une douairière émaciée. Un garçon aux genoux cagneux avançait de concert avec un marin squelettique à sa droite, un manchot en uniforme taché de sang à sa gauche…

– Retournez en enfer, tous autant que vous êtes ! a crié le docteur de Valogne à Barbefauve.

Il a collé le fusil à son œil et actionné la détente.

Un premier cliquetis léger s'est fait entendre, suivi d'un second.

– Fichue pétoire ! a pesté le médecin.

Empoignant le canon du fusil à deux mains, il a porté un coup au cadavre qui s'avançait. Le cylindre a heurté la tête de Barbefauve ; du sang, de la poussière et des fragments d'os ont rejailli dans la pièce.

– Sortez mon père d'ici, a crié le jeune homme par-dessus son épaule. Vite, monsieur Destoits. Je leur ferai barrage aussi longtemps que possible.

J'ai hésité, inquiet à l'idée de le laisser seul.

– N'attendez pas !

– Venez, monsieur, ai-je dit à sir Alfred en lui prenant le coude pour le ramener dans le couloir.

Derrière nous, des bruits de verre et de vaisselle brisés s'échappaient de la cuisine ; devant nous, le martèlement frénétique contre la porte du salon était plus fort que jamais. Revenus dans le vestibule, nous avons vu la porte d'entrée se disloquer soudain et tomber en morceaux sur le sol. Une horde de corps zigzagants a surgi, rejointe par d'autres dans notre dos, qui arrivaient de la cuisine par le couloir.

– Y a-t-il une issue à l'arrière ? ai-je chuchoté. C'est notre unique chance.

Secoué de tremblements, le vieil homme m'a saisi le bras et s'est élancé par une porte à notre gauche. Nous avons traversé un office sans fenêtre, puis un débarras garni d'étagères où s'empilaient céra-miques et argenterie, avant d'atteindre une porte basse délabrée, au loquet rouillé. Sans dire un mot, sir Alfred s'est précipité. Il a tiré les verrous du haut et du bas, tourné la clé dans la serrure et soulevé le loquet.

– Je ferais mieux de passer le premier, ai-je dit, dé-crochant ma canne-épée et m'avançant.

J'ai poussé le battant et scruté la vaste pelouse, bordée d'un haut mur, qui s'étendait de l'autre côté. La voie semblait libre. Je me suis retourné pour adresser un signe de tête à sir Alfred. Nous sommes sortis, et j'ai bloqué la porte avec un râteau. De l'intérieur filtrait le fracas étouffé du saccage tandis que la légion des morts dévastait la maison.

– Qu'ai-je fait ? a murmuré sir Alfred d'un ton accablé. Chère douce Sonia, qu'ai-je fait ?

Subitement, avant que je puisse le retenir, le vieil homme a filé sur la pelouse en direction du mur. Il s'est arrêté près d'un portillon frangé de lierre, s'est démené avec son trousseau de clés et est arrivé à ses fins au moment où je le rattrapais.

– Il faut que j'aille près d'elle, a-t-il soufflé, disparaissant par l'ouverture.

Je l'ai suivi, et je me suis trouvé dans un petit enclos funèbre. Comme je promenais les yeux sur les splendides tombeaux et les pierres sculptées, j'ai vite compris que c'était le sanctuaire de la vieille et auguste famille de Valogne. Rien d'aussi médiocre qu'un banal cimetière public n'aurait convenu à cette famille d'aristocrates ; elle exigeait une chapelle privée et un espace fermé où les seigneurs et les dames pouvaient reposer en paix dans leurs superbes caveaux.

Sir Alfred était agenouillé devant un haut sarcophage en marbre blanc, un ange ailé magnifique couronnant le sommet cintré. Le mausolée entier était illuminé par une lampe en cuivre ouvragée, suspendue à une chaîne que tenait l'ange dans sa main droite tendue.

– Elle brille en permanence, a murmuré sir Alfred. En souvenir de ma chère Sonia défunte.

La nervosité m'a noué la gorge. Les horribles spectres étaient au portillon.

Il y avait une mégère ratatinée, au nez crochu et aux cheveux emmêlés. Une matrone corpulente, son front ridé toujours miroitant de fièvre... Un chiffonnier au regard sournois et un lutteur à mains nues, dont l'œil gauche sorti de son orbite pendait au bout d'un fil luisant. Un gros marchand des quatre saisons et un notaire voûté, leurs vêtements (en satin et en dentelle pour le second, en serge climée pour le premier) pareillement tachés de boue noire et de fange des égouts. Une domestique, un ramoneur, deux garçons d'écurie, l'un le crâne défoncé par la ruade d'un cheval, l'autre le teint terreux et les yeux brillants à cause de la toux sanglante qui l'avait emporté. Et un robuste voyou de la rivière, son beau gilet en loques et le tatouage sur son menton masqué par la crasse. La profonde blessure à laquelle il avait succombé scintillait en travers de son cou.

J'ai reculé, horrifié, le dos plaqué contre le marbre blanc et froid du mausolée de la famille de Valogne. Près de moi, son corps tremblant comme du jambon en gelée, sir Alfred avait la respiration hachée, sifflante. Sur trois côtés du tombeau de marbre, les rangs serrés des spectres se déployaient dans le cimetière brumeux en une parodie grotesque de séance d'instruction militaire.

– Ils m'ont retrouvé, a soufflé le vieux médecin d'une voix rauque, presque chuchotante.

J'ai suivi son regard terrifié et découvert quatre personnages misérables en uniforme de soldat (une veste rouge aux épaulettes et aux poignets ornés d'un galon doré) qui se tenaient sur une tombe plate au-dessus de la foule. Chacun d'eux portait les marques de blessures fatales.

La terrible entaille dans le visage du premier avait laissé sa pommette exposée et un lambeau pendant de peau tannée. Le deuxième avait la poitrine ensanglantée et un moignon déchiqueté (seul reste de son bras gauche) ; des éclats d'os jaune pointaient entre ses bandages sales. Une hache rouillée, logée dans le crâne du troisième, fendait sa coiffure militaire cabossée. Et le quatrième, les yeux globuleux, injectés de sang, gardait autour de son cou meurtri, à vif, la corde râpeuse et usée qui l'avait étranglé ; il serrait le mât d'un drapeau dans ses mains noueuses.

Comme je l'observais, il a brandi le mât fendu. J'ai empoigné ma canne-épée et examiné le pan flottant de tissu ensanglanté : des franges souillées, collées, entouraient le brocart à pompons ; au centre se trouvait l'emblème brodé – l'ange de la victoire, ses larges ailes ouvertes sur un fond bleu ciel – rehaussé par les mots *33e régiment d'infanterie* en écriture script penchée, anguleuse. Les lèvres minces de l'affreux porte-drapeau se sont écartées pour révéler une rangée de dents noircies.

– Trente-troisième régiment de combat ! s'est-il écrié d'un filet de voix grinçante.

Les spectres ont oscillé sur place, leurs bras squelettiques étirés devant eux et leurs manches déchirées pendillant, molles, dans l'air brumeux. J'ai senti l'âcreté des égouts qui se dégageait d'eux, ainsi que la puanteur écœurante de la mort. Leurs yeux enfoncés m'ont transpercé.

Nous étions cernés. Ni sir Alfred ni moi ne pouvions faire quoi que ce soit. La voix du porte-drapeau a résonné, rauque, dans l'enclos funèbre :

– En avant !

Des trois côtés, la légion des morts a resserré son étau. J'ai actionné le mécanisme de ma canne-épée et dégainé la lame.

– Cette arme ne nous sauvera pas maintenant ! a gémi sir Alfred. Rien ne peut nous sauver…

Les mots se sont étranglés dans sa gorge et changés en un bredouillis étouffé tandis que la haute silhouette de Miriadec fondait sur nous. Le sergent-chef brandissait une épée qu'étreignait une main en or tranchée au poignet. Sir Alfred est tombé à la renverse, bras et jambes écartés sur le mausolée de sa femme, la lampe de l'ange en marbre illuminant son visage terrifié.

Le sergent-chef m'a frôlé au passage et j'ai senti le remugle de la mort, de la poussière et de l'eau salée. Derrière lui, les trois caporaux se sont arrêtés, leurs figures cadavériques à quelques centimètres de moi. Avec un suprême effort de volonté, je me suis tourné. Le sergent-chef a levé l'épée en or au-dessus de sa tête alors qu'il plaçait ses pieds de part et d'autre du corps de sir Alfred, qui le regardait avec une expression d'effroi absolu.

C'était donc cela. Les quatre soldats que sir Alfred avait ressuscités d'entre les morts tant d'années auparavant, dans les lointaines collines du Madari Kush, étaient de retour. Il s'était servi des pouvoirs diaboliques de la déesse Kal-Ramesh pour troubler leur repos éternel afin de s'enrichir, et aujourd'hui ses victimes revenaient se venger.

Du moins le semblait-il…

Soudain, le sergent-chef a porté un magistral coup tranchant avec l'épée en or. La lame a frappé le marbre tout près de la tête de sir Alfred et a volé en éclats ; un seul fragment est resté planté.

Pendant une minute, ç'a été le silence. Puis, de l'intérieur de la tombe, sont montés des grattements et des raclements, ténus d'abord, mais de plus en plus marqués. Alors, avec un fracas digne d'un tir de mousquet, le marbre s'est brisé autour du fragment doré ; de minces fissures se sont propagées comme les vrilles d'une plante exotique.

Tandis que la pierre s'effritait et que le mausolée se désagrégeait, sir Alfred a gémi et roulé sur le sol et, dans le nuage de poussière, la lugubre silhouette de lady Sonia de Valogne est sortie de la tombe : l'ange à la lanterne, qui n'était plus désormais qu'un squelette desséché en longue chemise élimée d'un blanc jauni.

Une dernière fois, l'épouvantable épée de la déesse avait accompli son œuvre infernale et ranimé un mort.

Devant lady Sonia, les soldats ont courbé leurs têtes horribles et se sont agenouillés. Puis, comme elle s'avançait, je l'ai vue : au milieu du diadème qui ornait son front, au-dessus de ses orbites vides, brillait une pierre noire.

L'œil de la diabolique déesse Kal-Ramesh.

J'ai soudain compris que c'était cet œil, et non pas le pauvre sir Alfred, qui avait attiré les soldats jusqu'ici. Le but de leur quête acharnée, semblait-il, n'avait pas été la vengeance, mais bien la pierre.

Subitement, un rayon sinueux de lumière flamboyante a jailli des profondeurs de l'œil et s'est répandu dans le cimetière, se divisant encore et encore en mille branches distinctes. Chacune d'elles a percé une poitrine dans la foule des morts, si bien que tous ont paru pénétrés d'un flux d'énergie éblouissant.

Durant un moment, ils ont frémi et tremblé ; leurs dents et leurs os cliquetaient au rythme d'une hideuse

L'œil de la diabolique déesse Kal-Ramesh ornait son diadème.

danse percutante. Puis, en une seconde, comme lors d'une coupure de courant, la lumière flamboyante s'est éteinte et la légion des morts a exhalé un soupir spectral. Alors, j'ai vu toute l'assemblée tomber en poussière et se désintégrer dans un nuage tourbillonnant.

Les derniers à disparaître ont été le sergent-chef et ses caporaux, enfin délivrés de leur interminable captivité. Devant moi, parmi les ruines de son sarcophage, lady Sonia de Valogne s'est réduite à un tas d'os disjoints.

Cette démonstration de puissance extraordinaire m'a révélé l'impressionnant secret de l'œil de la déesse. Si l'épée en or, maintenant détruite, avait eu le pouvoir de ranimer et d'asservir les morts, la pierre noire les avait libérés et rendus à leur repos éternel.

M'agenouillant, j'ai retourné sir Alfred, chassé la poussière de marbre collée à son visage... et découvert son regard fixe. Le jeune médecin est arrivé à toutes jambes par la pelouse, la crosse de fusil brisée dans sa main. J'ai levé la tête vers lui.

– Tout est fini, ai-je dit.

Il s'est agenouillé près de son père.

– Oui, a-t-il répondu en se tournant vers moi, les larmes aux yeux. Tout est fini.

La véritable nature de la mystérieuse puissance qui a opéré cette nuit-là, je ne peux l'expliquer. Mais ce dont j'ai bel et bien été le témoin, c'est l'influence surnaturelle que la diabolique déesse Kal-Ramesh exerçait sur tous ceux qui l'approchaient.

Quand ils avaient pu sortir de la grotte où ils étaient prisonniers, le sergent-chef et ses caporaux, appelés par la pierre noire (le troisième œil de Kal-Ramesh), s'étaient lancés dans un périple à bord d'un canoë qui les avait transportés des eaux de l'Orient infestées de lamproies jusqu'aux étendues boueuses des quais de la Mitraille. Ils avaient pris avec eux l'instrument de leur servitude, la sixième épée de la déesse. Combien de temps avaient-ils ramé sur les courants océaniques, tandis que la pierre noire les appelait sans cesse à continuer, je me le demande.

Arrivés dans notre grande ville animée, ils avaient abandonné leur canoë sur le rivage boueux et s'étaient réfugiés dans le puisard de la Mitraille. Avec une logique tordue, les membres de l'unité avaient fait ce qu'ils faisaient le mieux. Attirés par les tombes ornées d'anges ailés, ils avaient utilisé l'épée en or pour lever une armée – une légion des morts – qui servirait sous le drapeau du 33e régiment, l'ange de la victoire sur fond bleu ciel. Enfin, ils s'étaient dirigés vers l'œil de la déesse : rassemblant leurs effroyables troupes dans les égouts de la ville, ils avaient envahi l'hôtel particulier et l'enclos funèbre de la famille de Valogne.

Et ils avaient retrouvé la paix.

Une certaine paix est également revenue sur les quais de la Mitraille, en particulier après que Cogneur Colonec et ses compagnons ont entendu de ma bouche cette histoire incroyable. Certes querelleurs et brutaux, les habitants des quais sont superstitieux... Et je dois dire que leurs regards se sont illuminés lorsqu'ils ont appris l'existence de cette grotte, quelque part en Orient, avec ses trois coffres remplis de trésors.

Eh bien, bonne chance à ceux qui la trouveront ! Les déesses à six bras avec un œil sur le front, j'en ai eu assez pour le restant de mes jours.

À propos, cette étrange pierre, ultime vestige de la statue de Kal-Ramesh, a été enterrée avec lady Sonia de Valogne dans une nouvelle tombe, où le pauvre sir Alfred l'a rejointe. Il ne savait pas du tout ce dont il s'agissait quand il avait décidé de sertir l'étrange et fascinante pierre de son trésor dans un diadème pour sa belle épouse. Peut-être que lady Sonia avait eu l'intuition de sa mystérieuse puissance car, selon son fils, le jeune médecin, ç'avait été son bijou préféré.

Le docteur Laurent de Valogne a fermé l'hôtel particulier et déménagé peu après les événements de cette terrible nuit. Je le comprends ! Selon moi, certains souvenirs, comme les gens, ne devraient pas être exhumés. Néanmoins, avant son départ, il s'est rendu à *Côtelette et Gargoulette*, où il a rencontré un vieux soldat de ma connaissance tombé dans la misère. Je n'aime pas me vanter, aussi me contenterai-je de dire qu'Ignace le Borgne a maintenant une pension qui lui permet de se payer ses chopes de bière.

Quant à moi, trois semaines plus tard, je filais sur les toits en direction de l'hôpital Saint-Jude avec mon excellent ami et voltigeur plein d'avenir, Florian Pastor.

Il avait une livraison à effectuer.

J'étais à la recherche d'un ange de la miséricorde, deux places au deuxième balcon de l'*Alhambra* brûlant le fond de ma poche.

RETROUVE

Edgar Destoits

DANS

SES AUTRES AVENTURES...

PAUL & CHRIS
STEWART RIDDELL

Edgar Destoits

L'ÉTRANGE AFFAIRE DU LOUP DE LA NUIT

Edgar Destoits est le coursier le plus rapide de la ville. Voltigeant de toit en toit, il est prêt à tout pour délivrer ses messages. Rien ni personne ne l'arrête. Jusqu'à cette nuit de pleine lune, où il croise la route d'une bête effrayante qui sème bientôt la terreur. Sur les traces du monstre, Edgar se mue alors en détective de l'étrange. Le cauchemar ne fait que commencer…

PAUL ~&~ CHRIS
STEWART & RIDDELL

Edgar Destoits

L'ÉTRANGE AFFAIRE DU CRÂNE D'ÉMERAUDE

Edgar Destoits doit livrer un mystérieux colis à l'école du manoir Fougeraie. A priori une simple formalité pour le plus rapide des coursiers. Mais cette livraison tourne bientôt au cauchemar, réveillant des forces du Mal que rien ni personne ne semble pouvoir contenir…

CPI
Aubin Imprimeur

Achevé d'imprimer en France par Aubin
Dépôt légal : 1er trimestre 2009
N° d'impression : L 72764